marie claire

recettes
saveur

Publié pour la première fois en 2000, par Murdoch Books en Australie,
sous le titre original : *marie claire flavours*.
Texte © Donna Hay.
Photographies © Petrina Tinslay.
Design © Murdoch Books.
© Marabout-Hachette Livre 2001 pour la traduction française.

Traduction : Alexandra Peyre.
Relecture et correction : Fella Saïdi-Tournoux.
Mise en page JAD-Hersienne.

ISBN : 2501 036298
Dépôt légal : 11114/Septembre 2001
Achevé d'imprimé à Hong-Kong par Toppan Printing.

marie claire

recettes
saveur

donna hay

photographies
petrina tinslay

•MARABOUT•

sommaire

introduction

De la douceur de la vanille à la fraîcheur acidulée des agrumes, de la volupté du chocolat au feu du piment, ces saveurs simples mais essentielles mettent tous les sens en éveil. Mariées avec imagination et sensibilité à d'autres ingrédients, elles ne sont pas seulement un régal pour les papilles mais elles envoûtent aussi l'esprit.

marie claire saveurs est une invitation à l'ivresse des sens à travers quelques-unes de nos saveurs préférées. Pour exciter le palais avec toutes sortes de goûts, de l'aigre au sucré, du piquant au très relevé, chaque chapitre fait découvrir leurs origines puis livre quelques petites astuces pour mieux les apprivoiser.
Ce parcours initiatique se poursuit par un florilège de recettes pour définitivement vous mettre l'eau à la bouche.

Comme toujours, la philosophie de *marie claire* est de commencer par choisir des produits de bonne qualité, de cuisiner des ingrédients frais pour accompagner ou accentuer le contraste avec la saveur dominante et trouver ainsi le subtil équilibre du goût recherché.

Dans le glossaire, vous trouverez toutes les informations sur les ingrédients ou les produits marqués d'un astérisque.

vanille

essentiel

Originaire d'Amérique centrale, la vanille est le fruit du vanillier, une liane grimpante de la famille des orchidées tropicales. L'arôme est extrait des gousses ou des grains séchés. Découverte par des commerçants européens au XVIe siècle, la vanille reste, durant des années, auréolée de mystères : personne n'a jamais réussi à produire des gousses en dehors de leur région d'origine. En fait, on s'apercevra plus tard que l'orchidée ne peut être naturellement pollinisée que par l'abeille melipone et le colibri, lesquels sont absents des nouvelles aires de culture.

L'orchidée fleurit à peine le temps d'une journée. Aujourd'hui, pour cultiver la vanille, il faut polliniser chaque fleur à la main. Après cette étape, la gousse jaune et charnue met quatre semaines à se former. Elle est ensuite récoltée et le processus de séchage ou de fermentation peut commencer. Les gousses à maturité sont passées à la vapeur puis lentement séchées. Au cours de ce processus d'oxydation, les gousses brunissent et gagnent leur arôme particulier, doux et assez proche du tabac.

grains de vanille

C'est essentiellement dans les grains que se trouve l'arôme de la vanille. Fendez une gousse et raclez-en l'intérieur sur toute sa longueur afin de recueillir ses minuscules grains noirs. Ajoutez à la fois les grains et la gousse lorsqu'une recette conseille une gousse de vanille fendue et grattée.

gousses de vanille

Les gousses sèches doivent être souples, humides et assez charnues. On les emploie entières ou bien découpées pour libérer tout l'arôme contenu dans les grains. Elles doivent être conservées dans un pot hermétique. Les gousses peuvent être réutilisées après avoir été rincées et séchées, mais elles perdront progressivement de leur arôme.

sucre vanillé

Il s'agit d'un sucre qui a été parfumé avec des gousses. Il est utilisé en pâtisserie pour son parfum très subtil. Il est aussi idéal sur les céréales, le porridge ou dans le café. Le sucre vanillé artificiel existe, lisez donc attentivement la composition sur l'emballage pour être sûr d'acheter un produit naturel. Vous pouvez préparer vous-même votre sucre. Pour cela laissez une gousse imprégner le sucre de son arôme, ou bien mixez le sucre et les gousses. Tamisez-le ensuite pour filtrer les plus gros morceaux (voir page 187).

essence de vanille

Comparée à l'extrait, l'essence est très souvent de qualité inférieure et sa fabrication est synthétisée chimiquement à partir d'huile essentielle de clou de girofle, de résidus de houille et de bois. Pour un parfum de vanille authentique, n'utilisez que les gousses ou l'extrait.

extrait de vanille

C'est une solution hydroalcoolique qui renferme l'arôme des gousses. L'extrait pur est étiqueté comme tel, il est très parfumé et présente une couleur d'ambre et une consistance sirupeuse. Si vous ne trouvez pas de gousses, l'extrait est alors le meilleur substitut. Dans une recette, 1 cuillère à café d'extrait correspond à une gousse. Conservez-le à l'abri de la lumière.

essence de vanille

gousses de vanille

grains de vanille

extrait de vanille

sucre vanillé

11

astuces

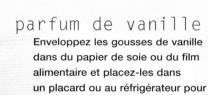

café à la vanille

Découpez finement les gousses
et mélangez-les au café moulu.
Lorsque vous passerez votre café,
l'arôme de vanille lui donnera
une saveur particulière.

parfum de vanille

Enveloppez les gousses de vanille
dans du papier de soie ou du film
alimentaire et placez-les dans
un placard ou au réfrigérateur pour
leur conserver tout leur arôme.

thé à la vanille

Mélangez des gousses de vanille
coupées très fin à du thé noir.
Enfermez le mélange dans un endroit
frais et sec pendant 2 semaines
avant de le faire infuser.

lait chaud

Pour une petite pause, réchauffez du lait dans une casserole à feu doux, parfumez-le avec un peu de sucre et d'extrait de vanille : le petit plus, ajoutez du lait en poudre.

mascarpone à la vanille

Mélangez 250 g de mascarpone*, 5 cl de crème fraîche et 1 cuillère à café d'extrait de vanille. Ajoutez du sucre glace tamisé à votre goût. Utilisez cette préparation pour garnir des fonds de tarte ou pour accompagner des tranches de fruits frais par exemple.

sirop de vanille

Placez une gousse de vanille fendue dans une casserole avec 25 cl de sucre et 37 cl d'eau. Remuez à feu doux jusqu'à ce que le sucre fonde et dégage une odeur de vanille. Ajoutez ce sirop à du lait pour faire un vrai milk-shake à la vanille, ou versez-en sur une glace. Conservez au réfrigérateur.

sirop d'érable vanillé

Faites chauffer 30 cl de sirop d'érable et 2 gousses de vanille fendues dans une casserole. Laissez mijoter doucement quelques minutes ou jusqu'à ce que le sirop d'érable soit bien parfumé. Conservez-le au frais et versez-en sur du yaourt, des fruits ou des *pancakes*.

vanille

génoise à la pêche et à la vanille

sablés à la vanille

fruits pochés à la vanille

génoise à la pêche et à la vanille

25 cl de vin doux (sauternes, blanc d'Alsace…)
375 g de sucre
1 gousse de vanille fendue et grattée
2 pêches en tranches épaisses
1 petite génoise* ou 16 biscuits à la cuiller
crème à la vanille
300 g de mascarpone épais*
18 cl de crème fraîche
3 cuillères à soupe de sucre glace tamisé
1 cuillère à café d'extrait de vanille

Dans une poêle, faites fondre le sucre avec le vin et la gousse de vanille à feu moyen fort et remuez. Laissez cuire 2 minutes. Ajoutez les tranches de pêches et faites-les revenir 1 minute de chaque côté. Retirez de la poêle et réservez. Pour préparer la crème à la vanille, mélangez le mascarpone, la crème, le sucre glace et la vanille dans un bol. Au moment de servir, placez une tranche de génoise sur chaque assiette. Arrosez avec le sirop des pêches, puis posez quelques cuillerées de crème à la vanille. Disposez les pêches sur le dessus et versez le reste du jus. Servez immédiatement. Pour 6 personnes.

sablés à la vanille

185 g de beurre en morceaux
220 g de sucre
2 cuillères à café d'extrait de vanille
310 g de farine
1 œuf

Mixez le beurre, le sucre et l'extrait de vanille pour obtenir un mélange homogène. Ajoutez la farine et l'œuf et mixez à nouveau la pâte. Retirez-la du mixeur et enveloppez-la dans du film plastique. Placez-la au réfrigérateur pendant 30 minutes.
Préchauffez votre four à 180 °C. Abaissez la pâte d'une épaisseur de 5 mm sur du papier sulfurisé ou sur une surface légèrement farinée. Découpez des cercles de 7 cm de diamètre à l'aide d'un emporte-pièce et placez les biscuits sur une plaque de cuisson tapissée de papier sulfurisé. Faites cuire 10 à 13 minutes. Laissez refroidir. Servez avec du café, du thé ou pour accompagner vos desserts. Pour 24 biscuits.

fruits pochés à la vanille

250 g de sucre
50 cl d'eau
1 gousse de vanille fendue et grattée
4 fruits variés coupés en deux : pêches, abricots, nectarines, petites pommes acidulées, poires, prunes…

Versez le sucre, l'eau et la gousse de vanille dans une casserole et remuez à feu doux jusqu'à ce que le sucre se dissolve. Pochez délicatement les fruits dans ce sirop pendant 5 minutes.
Servez chaud dans de grands bols, accompagné du sirop et de crème fraîche épaisse, ou mieux encore de glace. Pour 4 personnes.

meringues à la vanille

4 blancs d'œufs
275 g de sucre
1 cuillère à soupe de Maïzena
1 cuillère à café de vinaigre blanc
1 cuillère à café d'extrait de vanille
grains d'une gousse de vanille (facultatif)

Préchauffez votre four à 130 °C. Montez les blancs en neige. Incorporez progressivement le sucre en continuant de battre fermement. Tamisez la Maïzena au-dessus de la préparation et mélangez délicatement avec le vinaigre, l'extrait de vanille et les grains de vanille. Prenez la moitié du mélange, formez six petits tas ronds sur une plaque de cuisson recouverte de papier sulfurisé. Répétez l'opération avec le reste de la préparation en plaçant les meringues sur une autre plaque de cuisson. Enfournez et réduisez le thermostat à 100 °C. Laissez cuire 30 à 35 minutes. Éteignez le four et laissez refroidir les meringues à l'intérieur. Servez avec un café fort ou bien avec des fruits frais et de la crème. Pour 12 meringues.

meringues à la vanille

tarte vanillée aux prunes

truffes à la vanille

gâteau à la crème vanillée

tarte vanillée aux prunes

1 pâte sablée sucrée* ou 375 g de pâte toute prête
garniture
45 g de beurre
220 g de sucre
300 g de poudre d'amande
1 cuillère à café d'extrait de vanille
30 g de farine
2 œufs
4 prunes en tranches épaisses

Préchauffez le four à 200 °C. Étalez la pâte de 3 mm
sur une surface légèrement farinée. Tapissez un moule
à tarte de 26 cm de diamètre à fond amovible*. Piquez-la
au centre et sur les bords à l'aide d'une fourchette.
Recouvrez la pâte de papier sulfurisé et lestez avec
des grains de riz ou des poids. Faites cuire 6 minutes.
Ôtez les poids et le papier et remettez à dorer 6 autres
minutes. Réduisez le thermostat à 180 °C.
Pour préparer la garniture, mixez le sucre, le beurre,
les amandes, l'extrait de vanille, la farine et les œufs, pour
obtenir une préparation homogène. Garnissez le fond
de tarte. Enfoncez les tranches de prunes et remettez
au four 30 à 40 minutes. La tarte doit être bien dorée.
Servez chaque part avec une boule de glace à la vanille.
Pour 8 personnes.

truffes à la vanille

500 g de chocolat blanc en morceaux
2 cuillères à soupe d'eau
180 g de beurre coupé en morceaux
2 cuillères à café d'extrait de vanille
les grains d'1 gousse de vanille
sucre glace

Avec du papier sulfurisé, tapissez le fond et les bords
d'un moule à manqué carré de 18 cm de côté. Faites
fondre le chocolat, l'eau et le beurre dans une casserole
à feu doux et remuez délicatement ces ingrédients pendant
10 minutes. Hors du feu, incorporez l'extrait de vanille
et les grains de vanille. Versez l'ensemble dans le moule
et réfrigérez pendant 2 heures. Démoulez et découpez
en petits carrés. Pour servir, saupoudrez les deux faces
de sucre glace en laissant les bords nus.
Servez au moment du café. Pour 16 pièces.

gâteaux à la crème vanillée

185 g de beurre
165 g de sucre
1 cuillère à café d'extrait de vanille
3 œufs
185 g de farine
1/2 sachet de levure chimique
crème vanillée
30 cl de crème fraîche épaisse
1 cuillère à café d'extrait de vanille

Préchauffez le four à 160 °C. Battez le beurre, le sucre et
l'extrait de vanille dans un bol pour obtenir une pâte légère
et crémeuse. Ajoutez les œufs et fouettez fermement.
Saupoudrez la farine et la levure sur la préparation puis
mélangez délicatement. À l'aide d'une cuillère, remplissez
12 petits moules antiadhésifs d'une contenance de 12,5 cl
chacun. Mettez au four 20 minutes. Laissez refroidir
4 minutes puis démoulez.
Versez la crème et l'extrait de vanille dans un bol et
fouettez pour obtenir une crème épaisse. Au moment
de servir, coupez les gâteaux en deux dans la hauteur
et nappez la base avec la moitié de la crème vanillée.
Ajoutez la deuxième couche au centre et finissez par
la crème. Pour 12 petits gâteaux.

poires pochées au safran et à la vanille

8 petites poires pelées
1 l d'eau
375 g de sucre
1 gousse de vanille fendue et grattée
1 pincée de filaments de safran*
1 tranche de gingembre
1 petite écorce de citron jaune

Placez les poires, l'eau, le sucre, la gousse de vanille,
le safran, le gingembre et l'écorce de citron dans une
casserole. Faites cuire à feu doux pendant 30 minutes,
en retournant éventuellement les poires. Servez dans
des bols avec le sirop. Pour 4 personnes.

poires pochées au safran et à la vanille

petits puddings prune-vanille

4 cuillères à soupe de sirop d'érable
4 prunes rouges en tranches épaisses
puddings
250 g de farine à gâteaux*
1/2 cuillère à café de levure chimique
90 g de beurre
1 cuillère à café d'extrait de vanille
2 œufs
145 g de sucre candi*
18 cl de lait

Versez 2 cuillères à café de sirop d'érable dans le fond de 6 petits ramequins allant au four, d'une contenance de 25 cl chacun. Disposez les tranches de prune dessus. Pour préparer les puddings, mettez la farine, la levure, le beurre, l'extrait de vanille, les œufs, le sucre et le lait dans un mixeur et mélangez jusqu'à l'obtention d'une pâte onctueuse. À l'aide d'une cuillère, déposez cette préparation sur les prunes. Recouvrez les puddings d'un disque de papier sulfurisé et couvrez le tout de papier aluminium. Faites cuire au bain-marie pendant 1 heure jusqu'à ce que les puddings soient bien fermes.
Pour 6 personnes.
note – au cours de la cuisson, il sera peut-être nécessaire de rajouter de l'eau bouillante au bain-marie.

crème glacée parfum vanille

50 cl de lait
1 gousse de vanille fendue et grattée
4 jaunes d'œufs
185 g de sucre
25 cl de crème fraîche

Dans une casserole, portez le lait à ébullition avec la gousse de vanille. Mélangez les œufs et le sucre. Hors du feu, incorporez le lait aux œufs en fouettant. Remettez la casserole sur le feu 3 à 4 minutes, jusqu'à ce que le mélange épaississe légèrement. Retirez du feu et enlevez la gousse de vanille. Ajoutez la crème et laissez refroidir.
Versez la préparation dans votre sorbetière. Si vous n'en avez pas, placez la crème dans un récipient en métal à l'intérieur du congélateur et battez environ toutes les heures, jusqu'à ce que la glace prenne.
Servez dans des petits bols avec des sablés à la vanille, au goûter ou au dessert. Pour 4 à 6 portions.
note – pour un parfum de vanille plus intense, ajoutez 1 ou 2 cuillères à café d'extrait de vanille dans le lait.

mille-feuille à la vanille

375 g de pâte feuilletée prête à l'emploi
sucre glace
crème pâtissière à la vanille
35 cl de lait
25 cl de crème fraîche
2 cuillères à café d'extrait de vanille
165 g de sucre
40 g de Maïzena
10 cl d'eau
6 jaunes d'œufs

Préchauffez votre four à 180 °C. Abaissez la pâte sur une surface légèrement farinée en conservant une épaisseur de 3 mm. Découpez deux rectangles de pâte de 15x25 cm de côté. Disposez-les sur une plaque de cuisson tapissée de papier sulfurisé. Recouvrez avec une autre plaque de cuisson et glissez au four 15 minutes. Laissez refroidir hors du four.
Pour préparer la crème pâtissière, mélangez le lait, la crème fraîche, l'extrait de vanille et le sucre dans une casserole à feu moyen doux. Ne faites surtout pas bouillir. Délayez la Maïzena dans l'eau et incorporez à la crème sur le feu. Ajoutez les jaunes d'œufs et battez. Laissez cuire à feu doux 6 minutes jusqu'à ce que le mélange épaississe. Laissez refroidir la préparation dans la casserole sans réfrigérer. Étalez une bonne quantité de crème pâtissière à la vanille sur une feuille de pâte et recouvrez d'une autre feuille. Placez au frais au moins 1 heure avant de servir. Saupoudrez le mille-feuille de sucre glace et découpez-le en 12 parts.

confiture de rhubarbe à la vanille

1 kg de rhubarbe découpée en morceaux
3 pommes vertes épépinées et découpées en fines lamelles
1 gousse de vanille fendue et grattée
10 cl d'eau
3 cuillères à soupe de jus de citron jaune
800 g de sucre

Mettez la rhubarbe, les pommes, la gousse de vanille et l'eau dans une casserole à feu moyen. Couvrez et laissez cuire 5 minutes jusqu'à ce que la rhubarbe ramollisse. Ajoutez le jus de citron et le sucre puis laissez mijoter à découvert 45 à 60 minutes. Au cours de la cuisson, écumez régulièrement la surface avec une écumoire. Pour vérifier que la confiture est cuite, faites le test suivant : versez une petite cuillerée de confiture sur une assiette très froide. La confiture doit immédiatement épaissir. Conservez dans des bocaux stérilisés* et servez sur des toasts beurrés ou sur des *pancakes*. Pour 1 kg de confiture.

petits puddings prune-vanille

mille-feuille à la vanille

crème glacée parfum vanille

confiture de rhubarbe à la vanille

riz au lait vanillé

oranges caramélisées

neige de pomme à la vanille

riz au lait vanillé

80 cl de lait
1 gousse de vanille fendue et grattée
2 cuillères à soupe de beurre
220 g de riz arborio* ou de riz rond
60 g de sucre
5 cl de crème fraîche
5 cl de lait supplémentaire

Versez le lait avec la gousse de vanille dans une casserole à feu moyen, réchauffez 5 minutes sans porter à ébullition. Dans une autre casserole faites fondre le beurre à feu moyen et ajoutez le riz. Laissez cuire en remuant pendant 3 minutes jusqu'à ce que le riz devienne translucide. Versez très progressivement le lait en remuant (10 à 15 minutes) : le riz doit absorber le liquide et doit être *al dente*. Incorporez le sucre, la crème et le lait supplémentaire. Réservez 2 minutes, puis versez dans de petits bols. Servez pour le dessert, accompagné de compote de fruits comme le coing, la rhubarbe, les pommes ou les poires, ou encore à l'heure du brunch saupoudré de sucre roux.
Pour 4 à 6 portions.

oranges caramélisées

220 g de sucre candi*
25 cl d'eau
1 gousse de vanille fendue et grattée
4 oranges pelées et sans la peau blanche

Versez le sucre, l'eau et la gousse de vanille dans une poêle sur feu doux et remuez pour que le sucre se dissolve. Augmentez le feu et laissez épaissir le sirop pendant 10 minutes.
Découpez les oranges en rondelles de 2 cm d'épaisseur. Faites-les revenir dans la poêle à feu doux 2 minutes de chaque côté. Elles doivent être bien enrobées du sirop de vanille caramélisé. Pour servir, placez-les dans des assiettes creuses et arrosez d'un peu de sirop.
Servez tiède, accompagné d'un verre de vin doux.
Pour 4 personnes.

neige de pomme à la vanille

6 pommes granny ou 1 l de jus de pommes frais
5 cl de jus de citron jaune ou vert
35 cl d'eau
1 gousse de vanille fendue et grattée
220 g de sucre

Dans une centrifugeuse, faites du jus avec les pommes entières. Versez-le avec le jus de citron, l'eau et la gousse de vanille dans une casserole et laissez cuire 4 minutes à feu moyen. Réservez 5 minutes puis retirez la gousse. Remettez la casserole sur feu doux, ajoutez le sucre et faites-le dissoudre en remuant régulièrement.
Versez le contenu dans un récipient plat en métal et placez au congélateur pendant 2 heures. Battez énergiquement avec une fourchette et remettez au congélateur. Renouvelez l'opération toutes les heures afin de broyer les cristaux de glace et ce, jusqu'à ce que la neige de pomme à la vanille soit légère. Servez en petites boules, tel un sorbet.
Pour 6 personnes.

gâteau roux et nappage à la vanille

180 g de beurre
375 g de sucre roux
3 œufs
3 jaunes d'œufs
280 g de farine à gâteaux*
20 cl de lait
sirop de vanille
250 g de sucre
25 cl d'eau
1 gousse de vanille fendue et grattée

Préchauffez votre four à 180 °C. Placez le beurre et le sucre roux dans le bol d'un batteur électrique et battez pour obtenir une pâte légère et crémeuse. Ajoutez les œufs et les jaunes d'œufs un par un et mixez fermement. Tamisez la farine au-dessus du mélange et ajoutez le lait. Remuez bien.
Versez la préparation dans un moule à manqué carré de 20 cm de côté beurré. Puis enfournez pendant 45 minutes ; la pâte doit rester moelleuse au centre. Pendant ce temps, mélangez le sucre, l'eau et la gousse de vanille dans une casserole sur feu doux et remuez jusqu'à ce que le sucre se dissolve. Augmentez le feu et faites réduire 6 minutes.
Laissez le gâteau dans son moule 4 minutes avant de le démouler sur un plat. Versez immédiatement les trois quarts du sirop chaud sur le gâteau. Servez accompagné du reste de sirop et de crème fraîche épaisse.
Pour 10 à 12 parts.

gâteau roux et nappage à la vanille

2

citron
jaune+vert

essentiel

Parmi les agrumes, les saveurs les plus appréciées sont le citron jaune et le citron vert. La plupart des cuisines les utilisent pour la saveur aigre et acide qu'ils ajoutent aux plats salés ou sucrés.

Originaire d'Inde, le citron arrive en Méditerranée, au Ier siècle apr. J.-C., lors des campagnes romaines. Quelques siècles plus tard, les Arabes en généralisent l'utilisation et la culture en Andalousie, en Afrique du Nord, dans tout le bassin méditerranéen et jusqu'aux confins de l'Asie. Lors de son second voyage en Amérique, en 1493, Christophe Colomb l'emporte dans ses malles déclenchant ainsi la passion du Nouveau Monde pour le plus populaire des fruits.

Originaire de Malaisie, le citron vert dont la culture s'étend jusqu'en Inde, au Moyen-Orient, en Chine et aux Caraïbes est l'agrume tropical par excellence. Dans le sud de l'Europe, au Moyen Âge, on tente de le cultiver, mais sans succès ; ce fruit nécessite un climat nettement plus chaud et plus humide. Pendant longtemps, son emploi reste donc très limité. C'est aux Antilles et en Amérique centrale qu'il est le plus répandu.

citron jaune

Le citron est sans aucun doute l'agrume le plus utilisé. On le consomme frais, cuit ou confit, pour sa saveur aigre ou pour rehausser le goût d'autres aliments. Sa pulpe et son écorce sont tous deux comestibles. Il y a plusieurs variétés : certaines plus acides, d'autres à l'écorce très fine ou plus épaisse. Pour choisir un citron, prenez celui qui est à la fois sec et lourd. Se conserve à l'air libre plus d'une semaine voire trois au réfrigérateur.

citron vert

Il existe différentes sortes de citrons verts et la plupart sont très acides. Le lime antillais possède une saveur forte. Celui de Tahiti, plus gros que son cousin des Caraïbes, a un goût moins prononcé. Il se conserve au réfrigérateur plus d'une semaine. Pour connaître son degré de fraîcheur, observez la qualité et la couleur de la peau : plus le citron est vieux plus son écorce est desséchée et plus sa couleur vire au jaune pâle.

écorce

L'écorce savoureuse et parfumée du citron jaune, comme celle du citron vert, est très utilisée en cuisine. Veillez à ne prélever que l'écorce colorée et non la pellicule blanche qui se trouve en dessous. Elle peut être cuisinée entière, râpée ou découpée en très fines lamelles pour former des zestes.

feuilles de citron cafre

Ces feuilles ressemblent à des ailes de papillon. Employées surtout dans la cuisine thaïe, elles ont un parfum sucré et une saveur légèrement acidulée. Elles peuvent être utilisées entières, mijotées dans des currys et des soupes, ou bien finement hachées, sautées à la poêle ou ajoutées à vos salades. Elles s'achètent fraîches ou sèches dans les supermarchés asiatiques. Vous pouvez les congeler pour une utilisation ultérieure. En dernier ressort, plantez des citronniers, ils forment de très jolis arbustes dont vous cueillerez les feuilles à loisir.

pur jus

Vous n'aurez aucune difficulté à obtenir le jus d'un citron frais jaune ou vert. Avec des fruits légèrement vieux et desséchés, vous aurez plus de mal à extraire le jus. Pour vous faciliter la tâche, avant de les ouvrir, assouplissez-les quelques instants en les roulant sur un plan de travail.

pur jus

citron vert

citron jaune

écorce

feuilles de citron vert cafre

astuces

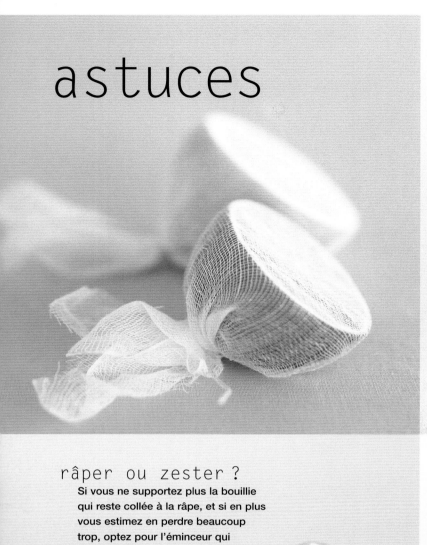

rafraîchissant

Préparez une véritable limonade au citron jaune ou vert : pressez le jus ; ajoutez de l'eau pétillante ou plate, très fraîche et beaucoup de glaçons. Sucrez à votre goût et gorgez-vous de cette boisson vivifiante.

râper ou zester ?

Si vous ne supportez plus la bouillie qui reste collée à la râpe, et si en plus vous estimez en perdre beaucoup trop, optez pour l'éminceur qui prélève de fines lanières d'écorce.

citrons verts au gril

Faites griller des moitiés de citrons verts, côté chair, sur la plaque du four ou au barbecue et à proximité de poisson ou de poulet. Arrosez les plats d'un jus de citron, celui-ci a caramélisé et s'écoule facilement.

maximum de jus

Pour obtenir le maximum de jus de vos citrons jaunes et verts avec le minimum d'effort, avant de les presser, passez-les au micro-ondes 10 à 15 secondes. Cela ramollit le fruit.

saveur instantanée

Ajoutez quelques feuilles de citron vert cafre pour parfumer la cuisson d'un riz vapeur ou bouilli. Relevez tous vos assaisonnements avec des feuilles finement hachées : sauce aux huîtres avec du gingembre haché, ou bien sauce au beurre brun.

stylisme

Enveloppez des demi-citrons jaunes ou verts dans de petites mousselines fermées par un lien. Présentez tel quel à vos invités, le voile retient la pulpe et empêche le jus de gicler ailleurs que dans l'assiette.

pur jus congelé

À la saison des citrons, faites du jus, versez-le dans des bacs à glaçons et mettez au congélateur. Sitôt congelés, défaites les glaçons et disposez-les dans une boîte hermétique. Replacez au froid. Vous pourrez les utiliser à tout moment.

salade de crabe au citron

citrons confits

thon en croûte d'épices

salade de crabe au citron

3 crabes cuits ou 400 g de chair de crabe cuite
quartiers de citron pour la présentation
salade au citron vert
10 cl de jus de citron vert
1 cuillère à soupe de nuoc mam*
2 cuillères à soupe de sucre roux
2 concombres méditerranéen*, découpés en fines rondelles
25 g de papaye verte ou de mangue, en morceaux
feuilles de menthe fraîche ciselées
feuilles de coriandre fraîche

Pour préparer la salade, versez le jus de citron, le nuoc mam, le sucre, les rondelles de concombre, la papaye ou la mangue, la menthe et la coriandre dans un saladier et mélangez. Laissez mariner 30 minutes.
Retirez la chair du crabe. Servez la salade dans des assiettes et disposez la chair de crabe au-dessus. Présentez avec les quartiers de citron. Pour 4 personnes.
note – vous pouvez très bien accommoder cette salade avec des crevettes roses, des moules, du homard ou encore des sashimis variés.

salade de couscous au poulet grillé

4 blancs de poulet
1 cuillère à soupe d'huile d'olive
poivre noir concassé
2 citrons coupés en deux
taboulé au citron
200 g de couscous*
30 cl de bouillon de poule ou d'eau bouillante
2 cuillères à soupe de beurre
2 cuillères à soupe d'écorce de citron hachée
2 cuillères à soupe de câpres au sel*
3 cuillères à soupe de feuilles de sauge fraîche, hachées
60 g d'amandes effilées

Badigeonnez le poulet d'huile d'olive et parsemez de poivre. Faites-le revenir au gril ou au barbecue 3 minutes de chaque côté. Réservez. Faites griller les citrons côté pulpe 1 minute.
Versez le couscous dans un saladier et mouillez-le avec le bouillon ou l'eau bouillante. Recouvrez d'un film plastique et laissez gonfler la graine au moins 5 minutes jusqu'à absorption complète du liquide.
À feu moyen, faites fondre le beurre dans une grande poêle. Ajoutez l'écorce de citron, les câpres rincées, la sauge et les amandes et faites revenir le tout 7 minutes. Ajoutez la semoule et mélangez. Au moment de servir, disposez le taboulé en petits tas sur lesquels vous placerez les tranches de poulet et les citrons grillés. Décorez de feuilles de salade. Pour 4 personnes.

thon en croûte d'épices

375 g de thon en filet
1 cuillère à soupe de zeste de citron vert
10 cl de jus de citron vert
aneth finement haché
2 cuillères à soupe de persil frais finement haché
2 petits piments rouges évidés et découpés en lamelles
2 cuillères à soupe d'huile d'olive
sel et poivre noir concassé
400 g de *fettuccine*
1 cuillère à soupe d'huile d'olive
100 g de roquette
jus de citron vert en plus et huile d'olive pour servir

Débarrassez les filets de thon des tendons et disposez-les sur une assiette. Mélangez le zeste, le jus de citron, l'aneth, le persil, le piment, 2 cuillères d'huile d'olive, le sel et le poivre, puis laissez mariner le thon 20 minutes au frais. Retournez les filets une fois. Faites cuire les pâtes *al dente.* Égouttez. Pendant ce temps, faites chauffer le reste d'huile d'olive à feu vif dans une poêle. Retirez le thon de sa marinade et réservez le jus. Faites cuire le filet 1 minute de chaque côté pour le saisir, puis coupez-le en tranches fines. Au moment de servir, disposez d'abord les pâtes sur une assiette puis des feuilles de roquette et enfin les tranches de thon. Arrosez du jus de la marinade, d'un filet d'huile d'olive vierge et de jus de citron vert.
Pour 4 personnes.

citrons confits

100 g de gros sel gemme
5 citrons jaunes ou 12 citrons verts, en quartiers
5 feuilles de laurier
1 cuillère à soupe de poivre en grains
jus de citron jaune ou de citron vert
3 cuillères à soupe d'huile d'olive vierge extra

Stérilisez* le bocal sous vide. Déposez 1 cuillère à soupe de sel au fond. Disposez les citrons dans un saladier avec le reste du sel et tassez l'ensemble. Remplissez le bocal avec les citrons, écorce contre la paroi en ajoutant les feuilles de laurier et le poivre au fur et à mesure. Compressez bien. Ajoutez suffisamment de jus de citron jaune ou vert pour imbiber les fruits. Couvrez d'huile d'olive puis refermez hermétiquement. Conservez le bocal dans un endroit frais, à l'abri de la lumière pendant 1 mois avant de consommer les citrons. Pour utiliser un citron confit, ôtez la chair et la peau blanche pour ne conserver que l'écorce, découpez-la en fines lamelles. Ajoutez-la à la farce d'un poulet, d'un agneau, d'un rôti de porc ou encore d'un poisson entier cuit au four avec des herbes fraîches. Ou bien faites-la revenir avec des oignons pour agrémenter une salade de couscous. Pour un bocal d'1 litre.

salade de couscous au poulet grillé

agneau rôti
aux citrons confits

1 gigot d'agneau désossé d'environ 1,5 kg
1 cuillère à soupe d'écorce de citron confit en lamelles
(voir page 36)
origan
2 gousses d'ail émincées
1/2 cuillère à café de poivre noir concassé
1 cuillère à soupe d'huile d'olive

Préchauffez votre four à 200 °C. Débarrassez la viande
de son excès de graisse. Dans un saladier, faites
un mélange avec l'écorce de citron confit, l'origan, l'ail,
le poivre et l'huile. Farcissez-en l'intérieur de l'agneau.
Ficelez et disposez-le dans un plat de cuisson.
Enfournez 45 minutes pour une cuisson à point.
Augmentez le temps si vous préférez une viande plus cuite.
Servez des tranches accompagnées d'une onctueuse
purée de pommes de terre et de petits pois frais.
Pour 4 à 6 personnes.

raviolis de porc et
bouillon de citron vert

300 g de porc haché
5 cl de sauce hoisin*
3 cuillères à soupe de feuilles de coriandre hachées
20 crêpes de riz*
bouillon de citron vert
1 l de bouillon de poule
3 lamelles de gingembre
5 feuilles de citron vert cafre, finement hachées
2 cuillères à soupe de sauce de soja

Pour préparer la farce des raviolis, mélangez le porc,
la sauce hoisin et la coriandre. Déposez 1 cuillère à soupe
de ce mélange au centre de chacune des crêpes.
Humectez les bords avec un peu d'eau et pressez-les
l'un contre l'autre pour les coller. Versez le bouillon
de poule, le gingembre, les feuilles de citronnier et
la sauce de soja dans une casserole et laissez mijoter
à feu moyen fort pendant 3 minutes. Plongez les raviolis
dans le bouillon et laissez cuire 2 à 3 minutes.
Disposez-les dans des bols et arrosez avec le bouillon.
Décorez de feuilles ciselées de citronnier.
Pour 4 personnes.
note – vous pouvez préparer les raviolis à l'avance et
les conserver au frais, recouverts d'un linge humide.

beignets de saumon
au citron vert

500 g de filet de saumon sans la peau
1 blanc d'œuf
3 cuillères à soupe de farine de riz*
2 feuilles de citron vert cafre hachées
1 cuillère à soupe de gingembre émincé
1 cuillère à café de wasabi*
3 cuillères à soupe de cerfeuil ou de persil plat
un peu d'huile de friture
sauce au citron vert
5 cl de jus de citron vert
5 cl de sauce de soja
2 cuillères à soupe de sucre roux

Ôtez les arêtes du saumon et découpez-le en dés d'environ
5 mm de côté. Mélangez-les avec le blanc d'œuf, la farine
de riz, les feuilles de citronnier, le gingembre, le wasabi et le
persil grossièrement haché. Faites réchauffer à feu moyen
fort 1 cm d'huile dans une poêle dans laquelle vous ferez
frire l'équivalent de 2 cuillères à soupe de la préparation
pendant 30 à 45 secondes. Dès que les beignets sont bien
dorés, disposez-les sur du papier absorbant et réservez-les
au four tiède. Continuez les autres beignets.
Pour la sauce, mélangez le jus de citron vert, la sauce de
soja et le sucre. Servez les beignets arrosés de sauce,
accompagnés d'une salade verte.
Pour 20 petits beignets.

pâtes au citron
et au basilic

350 g de *fettuccine* ou de spaghettis (400 g de pâtes fraîches)
10 cl de jus de citron
3 cuillères à soupe d'huile d'olive fruitée
50 g de parmesan râpé
basilic frais
100 g de petites olives
poivre noir concassé et sel

Plongez les pâtes dans l'eau bouillante et faites-les cuire
al dente. Pour préparer la sauce, mélangez bien le jus
de citron et l'huile d'olive. Ajoutez le parmesan, les feuilles
de basilic, les olives, le sel et le poivre.
Égouttez les pâtes, remettez-les dans la casserole puis
versez la sauce. Servez immédiatement. Pour 4 personnes.
note – ces pâtes constituent un excellent plat principal mais
peuvent aussi être servies comme accompagnement.

agneau rôti aux citrons confits

beignets de saumon au citron vert

raviolis de porc et bouillon de citron vert

pâtes au citron et au basilic

veau au citron

truite au citron vert cafre

calmars grillés au citron

veau au citron

1 cuillère à soupe d'huile d'olive
2 cuillères à soupe de beurre
1 cuillère à soupe d'écorce de citron
2 cuillères à soupe de jus de citron
2 cuillères à soupe de feuilles d'origan fraîches
4 tranches de longe de veau
poivre noir concassé
quartiers de citron pour servir

Faites chauffer l'huile et le beurre dans une poêle à feu moyen. Faites revenir l'écorce, le jus de citron et les feuilles d'origan pendant 3 minutes. Retirez de la poêle et réservez. Utilisez la même poêle pour saisir, à feu vif, les longes de veau préalablement enrobées de poivre. Laissez cuire 2 à 3 minutes de chaque côté selon la cuisson souhaitée.
Disposez les tranches de veau dans le plat de service et ajoutez l'écorce de citron et l'origan. Accompagnez de légumes verts cuits à la vapeur arrosés du jus de cuisson. Pour la présentation, servez avec les quartiers de citron. Pour 4 personnes.

truite au citron vert cafre

4 filets de truite
1 cuillère à soupe d'huile d'olive
2 cuillères à soupe de jus de citron
poivre noir concassé
purée de pommes de terre
sauce au citron vert cafre
25 cl de court-bouillon ou de bouillon de légumes
4 feuilles de citron vert cafre, hachées
25 cl de crème fraîche
1 cuillère à soupe de jus de citron vert

Pour préparer la sauce au citron vert cafre, réchauffez le bouillon, les feuilles, la crème et le jus de citron dans une casserole à feu moyen doux. Laissez réduire. Rincez les filets de truite et épongez-les. Dans une grande poêle à feu moyen, ajoutez l'huile, le jus de citron, le poivre et faites revenir 30 secondes. Faites ensuite cuire les truites 2 minutes de chaque côté, ou plus selon votre goût. Au moment de servir, disposez les truites sur un lit de purée. Arrosez de sauce au citron. Pour 4 personnes.

calmars grillés au citron

12 petits calmars
10 cl de jus de citron
1 cuillère à soupe d'huile d'olive
2 gousses d'ail, finement hachées
1 cuillère à soupe de thym citronné frais
1 cuillère à café de sel
poivre noir concassé

Videz les calmars et ouvrez-les en deux. Découpez-les en fines tranches. Mélangez le jus de citron, l'huile d'olive, l'ail, le thym, le sel et le poivre et versez le tout sur les calmars. Laissez mariner au réfrigérateur 30 minutes au minimum et de préférence 1 h 30. Préchauffez un gril, un barbecue ou une poêle. Faites griller 20 à 30 secondes de chaque côté. Servez accompagné de crudités ou de frites.
Pour 4 personnes.

spaghettis et roquette au citron vert

450 g de spaghettis
2 cuillères à soupe d'huile d'olive vierge extra
1 cuillère à soupe d'écorce de citron vert hachée
2 gousses d'ail écrasées
1 piment rouge évidé et découpé en fines lamelles
2 cuillères à soupe de câpres au sel* rincées
8 tranches de *prosciutto** en très fines lamelles
150 g de roquette ciselée en lanières
3 cuillères à soupe de jus de citron vert
150 g de *feta* marinée* à l'huile

Faites cuire les spaghettis *al dente* dans une grande casserole d'eau bouillante. Égouttez-les. Pendant ce temps, réchauffez l'huile dans une grande poêle à feu moyen. Faites revenir 1 minute l'écorce de citron, l'ail, le piment et les câpres. Ajoutez le *prosciutto*, laissez 2 minutes pour qu'il soit croquant. Versez les pâtes dans la poêle et mélangez bien le tout au-dessus du feu. Tournez les lamelles de roquette et le jus de citron avec les pâtes, puis servez dans de larges bols. Disposez la *feta* arrosée d'un peu de son huile et le poivre concassé. Pour 4 personnes.
note – si vous ne trouvez pas de *prosciutto*, optez pour du bacon. Retirez l'écorce de citron avant de servir.

spaghettis et roquette au citron vert

bœuf au citron vert et à la citronnelle

600 g de filet de bœuf
1 cuillère à soupe d'huile d'olive
1 branche de citronnelle*, la partie blanche hachée
4 feuilles de citron vert cafre hachées
1 cuillère à soupe de gingembre haché
10 cl de sauce de soja
5 cl de jus de citron vert
2 cuillères à soupe de sucre roux
légumes verts à la vapeur (bok choy*, haricots, asperges…)

Préchauffez votre four à 180 °C. Ficelez le bœuf en rôti débarrassé de tout son gras. Réchauffez l'huile dans une poêle et saisissez la viande 2 minutes de chaque côté. Posez-la ensuite sur une plaque de cuisson et enfournez 12 à 15 minutes. Pendant ce temps, reprenez la même poêle et faites revenir la citronnelle 1 minute à feu moyen, le gingembre et les feuilles de citron vert cafre. Ajoutez la sauce de soja, le jus de citron vert et le sucre, et remuez le tout pendant 1 minute. Au moment de servir, déposez le rôti en fines tranches couchées sur les légumes verts et arrosées d'un peu de sauce. Pour 4 personnes.

poisson mariné au citron vert et à la crème de coco

500 g de thon blanc, ou espadon, sans la peau
10 cl de jus de citron jaune ou vert
10 cl de crème de coco
2 piments rouges doux, épépinés et hachés
5 cl de jus de citron en plus
feuilles de coriandre fraîche
2 cuillères à soupe de feuilles de basilic frais, hachées
sel et poivre noir concassé
salade verte, pour accompagner

Ôtez les arêtes du poisson et découpez-le en tranches extrêmement fines. Déposez-les dans un saladier en verre ou en porcelaine arrosées du jus de citron et laissez mariner au réfrigérateur 2 heures. Le poisson semble avoir cuit. Égouttez. Mélangez le poisson avec la crème de coco, le piment, le reste de jus de citron, la coriandre, le basilic, le sel et le poivre. Remettez au frais au moins 4 heures avant de servir. Servez en entrée avec une salade verte ou pour un déjeuner d'été. Pour 4 personnes.

poisson frit au citron vert

1 cuillère à soupe d'huile d'olive
1 cuillère à soupe de beurre
3 citrons verts, pelés et en rondelles
2 cuillères à soupe de feuilles de sauge fraîche
4 portions de 185 g de cabillaud
sel et poivre noir concassé

Dans une grande poêle, faites revenir dans l'huile et le beurre les rondelles de citron 1 minute de chaque côté, à feu moyen fort. Ajoutez les feuilles de sauge et laissez 1 minute de plus. Réservez. Déposez le poisson dans la poêle et faites cuire 3 minutes de chaque côté, la chair doit devenir tendre. Salez, poivrez et servez accompagné de la sauge, des rondelles de citron et de quelques chips. Pour 4 personnes.

poulet rôti au citron

1 poulet d'environ 1,6 kg
2 citrons découpés en morceaux
4 gousses d'ail
3 brins de romarin frais
1 cuillère à soupe d'huile d'olive
1 cuillère à soupe de jus de citron
poivre noir concassé

Préchauffez le four à 200 °C. Rincez le poulet et séchez-le. Farcissez l'intérieur avec le citron, l'ail et le romarin. Faites rôtir 45 à 60 minutes. Au moment de servir, découpez le poulet et accompagnez d'une salade de roquette bien poivrée et d'aïoli (voir page 88). Pour 4 personnes.

note – cette recette peut aussi bien être réalisée avec des citrons verts.

bœuf au citron vert et à la citronnelle

poisson frit au citron vert

poisson mariné au citron vert et à la crème de coco

poulet rôti au citron

45

yaourt au citron et aux myrtilles

tarte au citron vert

yaourt au citron
et aux myrtilles

500 g de yaourt nature
50 g de sucre glace tamisé
1 cuillère à soupe de zeste de citron râpé
20 cl de crème fraîche
2 cuillères à café de gélatine en poudre
200 g de myrtilles

Mélangez le yaourt, le sucre et le zeste râpé dans un grand bol. Laissez à température ambiante. Pendant ce temps, réchauffez la crème à feu doux dans une casserole. Ajoutez la gélatine et faites-la dissoudre tout en remuant pendant 2 minutes. Incorporez cette préparation au yaourt. Disposez la moitié des myrtilles dans le fond de 4 petits ramequins d'une contenance de 20 cl environ. Recouvrez du mélange et placez au réfrigérateur 3 heures minimum. Pour la présentation, décorez avec le reste des myrtilles. Idéal pour un brunch ou en dessert.
Pour 4 personnes.

tarte au citron vert

375 g de pâte à tarte prête à l'emploi ou 1 pâte sablée sucrée*
garniture
220 g de sucre
4 œufs
25 cl de crème fraîche
25 cl de jus de citron vert

Préchauffez le four à 180 °C. Abaissez la pâte dans un moule à tarte d'un diamètre de 25 cm et à fond amovible. Piquez la pâte avec une fourchette et recouvrez-la de papier sulfurisé, lesté de poids ou de riz ; enfournez 10 minutes. Cette cuisson à blanc permet de conserver une pâte croustillante.
Pour la garniture, fouettez le sucre, les œufs, la crème fraîche et le jus de citron vert dans un grand bol. Écumez la surface pour retirer toute formation de mousse. Remplissez le fond de tarte, réduisez le thermostat à 160 °C et laissez cuire 20 à 25 minutes. Sitôt refroidie, conservez la tarte au réfrigérateur pour qu'elle soit bien ferme. Servez avec de la crème fraîche épaisse ou de la crème glacée.
Pour 8 personnes.
note – vous pouvez remplacer le jus de citron vert par du jus de citron jaune ou d'oranges sanguines.

cake au lemon curd

puddings au citron vert

pommes caramélisées au citron

cake au lemon curd

125 g de beurre
220 g de sucre
4 œufs
250 g d'amandes en poudre
250 g de farine à gâteaux*
crème fraîche épaisse
lemon curd
90 g de beurre
10 cl de jus de citron
220 g de sucre
2 œufs

Préchauffez le four à 160 °C. Mixez le beurre et le sucre
pour obtenir une préparation crémeuse et légère. Ajoutez
progressivement les œufs et battez fermement. Incorporez
la poudre d'amandes et la farine délicatement avec une
cuillère en bois. Versez la préparation dans un moule à
cake et enfournez 30 à 45 minutes. Le cake doit être bien
doré et moelleux à l'intérieur. Laissez-le refroidir, démoulez
puis découpez-le en trois tranches dans l'épaisseur.
Pour le *lemon curd*, mélangez le beurre, le jus de citron,
le sucre et les œufs dans un bol au bain-marie. Remuez
6 à 9 minutes ; ça doit épaissir. Laissez refroidir.
Nappez chaque tranche d'une couche de *lemon curd*.
Placez au réfrigérateur avant de servir. Présentez avec
de la crème fraîche épaisse.
Pour 12 à 14 parts.

puddings au citron vert

2 cuillères à café de zeste râpé de citron vert
10 cl de jus de citron vert
330 g de sucre
60 g de beurre
25 cl de lait
10 cl de crème fraîche
3 œufs
30 g de farine à gâteaux*

Préchauffez votre four à 180 °C. Mélangez au batteur
électrique le zeste, le jus de citron vert, le sucre, le beurre,
le lait, la crème, les jaunes d'œufs et la farine pour obtenir
une préparation onctueuse.
Montez les blancs en neige. Incorporez-les délicatement à
la préparation. Répartissez ensuite dans 6 ramequins d'une
contenance de 25 cl. Placez les pots au bain-marie sur une
plaque de cuisson et enfournez 30 minutes. Les puddings
doivent être dorés et gonflés. Servez chaud.
Pour 6 personnes.

pommes caramélisées au citron

4 pommes rouges coupées en deux
60 g de beurre en morceaux
75 g de sucre candi*
beurre au citron
125 g de beurre
5 cl de jus de citron
4 cuillères à soupe de sucre

Préchauffez le four à 180 °C. Mettez les demi-pommes
dans un plat de cuisson, chair vers le haut et recouverte
d'une noix de beurre et de sucre. Enfournez 30 minutes
en arrosant régulièrement.
Pendant ce temps, faites roussir le beurre dans
une casserole à feu moyen. Hors du feu, ajoutez le jus
de citron et le sucre candi. Remettez 2 minutes sur le feu
tout en mélangeant. Disposez les pommes sur le plat de
service et arrosez de beurre au citron. Servez chaud avec
de la glace au caramel ou de la crème fraîche épaisse.
Pour 4 personnes.

cheesecake

base
85 g de biscuits sablés sucrés
125 g d'amandes en poudre
45 g de beurre fondu
préparation au fromage
600 g de fromage blanc fouetté
220 g de sucre
20 cl de crème sure*
6 œufs
1 cuillère à soupe de zeste râpé de citron

Préchauffez le four à 140 °C. Pour préparer la base,
mixez les biscuits pour obtenir une poudre homogène.
Ajoutez le beurre, la poudre d'amandes et mixez de
nouveau. Tapissez ce mélange dans le fond
d'un moule à gâteau de 22 cm de diamètre.
Placez au réfrigérateur.
Pendant ce temps, fouettez le fromage blanc,
le sucre et la crème aigre. Puis ajoutez les œufs et
le zeste râpé. Mélangez pour rendre homogène.
Versez la préparation sur la base sablée et enfournez
1 heure. Le gâteau doit être assez ferme au toucher.
Laissez-le refroidir dans son moule et servez les parts
accompagnées de *lemon curd* (voir ci-dessus)
ou encore de tranches de fruits frais.
Pour 12 personnes.

cheesecake

3

gingembre

essentiel

Vraisemblablement originaire d'Inde, le gingembre est depuis longtemps sorti de ses frontières et nous est parvenu au cours des siècles avec cette saveur forte, pure et épicée que nous lui connaissons aujourd'hui. Denrée précieuse et très recherchée, l'Empire romain l'importe d'Orient à des fins médicinales. Dans l'Angleterre moyenâgeuse, l'utilisation du gingembre frais est aussi répandue que celle du poivre (en réalité le nom d'« épice » est synonyme de gingembre) et ce rhizome est également consommé confit. Les cuisines du Moyen-Orient, d'Afrique et d'Amérique du Sud en font une très grande consommation sous forme de poudre, alors que la cuisine asiatique emploie la racine.

Émincé, en jus, râpé, moulu, haché, confit, conservé dans du vinaigre ou du sucre, le gingembre est un ingrédient indispensable des cuisines du monde.

galanga

Appartenant à la famille des gingembres, ce rhizome thaï est parfois appelé grand galanga. Il possède des tiges sèches partant d'une racine noueuse et plutôt rose. Le galanga est plus dur que le gingembre et nécessite d'être soigneusement épluché avant de le découper ou de le râper. Sa saveur originale est plus proche du citron et du poivre que du gingembre classique. Ne l'utilisez que très frais.

gingembre

Jeune, le gingembre a de petites pointes rosées et est recouvert d'une très fine peau que l'on pèle très facilement avant de le découper. Pour la cuisine, il est préférable d'utiliser du gingembre jeune et tendre. Moins fibreux et donc plus facile à râper et à découper, il a une saveur subtile. S'il n'est pas assez frais, il sera plus dur, plus fort et plus âcre, vous devrez alors le peler avec un couteau ou un économe.

gingembre confit

Ce sont de petits morceaux de gingembre délicatement séchés et trempés dans un épais sirop de sucre. Le gingembre confit est présenté de deux manières, soit dans son sirop, soit recouvert de sucre cristallisé. Pour les desserts et gâteaux au gingembre, n'hésitez pas à rajouter quelques morceaux confits hachés plutôt que du gingembre en poudre. La saveur en sera plus authentique.

gingembre en poudre

Il s'agit de gingembre séché et moulu en une fine poudre, utilisé surtout dans les gâteaux et les biscuits. Pour plus de saveur, utilisez de préférence du gingembre confit haché. Si vous choisissiez d'employer du gingembre moulu, achetez-en en petite quantité car l'arôme s'évapore rapidement.

gingembre au vinaigre

Cette spécialité japonaise est composée de très fines lamelles de gingembre ou de plus gros morceaux conservés dans du vinaigre. Plutôt rose d'ordinaire, la couleur est due à la réaction naturelle que produit le vinaigre sur le gingembre. Il accompagne en général les sashimis, ou les filets de poisson cru. Il existe différentes appellations mais le nom générique est *gari*.

gingembre en poudre

galanga

gingembre

gingembre confit

gingembre au vinaigre

astuces

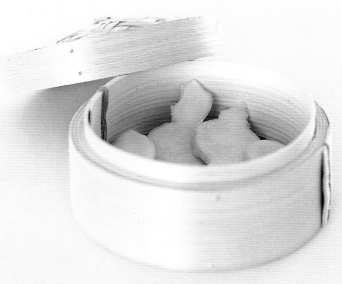

vapeur de gingembre

Déposez des lamelles de gingembre au fond d'un panier en bambou lorsque vous cuisez à la vapeur du poulet ou du poisson, pour les parfumer.

huile parfumée

Faites chauffer à feu doux de l'huile d'olive avec des lamelles de gingembre ou de galanga. Laissez refroidir et réservez dans une bouteille. Conservez cette huile au frais et utilisez-la pour les cuissons, les sauces et les marinades.

marinade

Le gingembre est parfait pour les marinades. Mélangez gingembre, huile de sésame, piment rouge, poivre noir concassé et herbes fraîches ciselées.

infusion de gingembre

Laissez infuser des morceaux de gingembre et de l'écorce de citron 3 minutes dans de l'eau bouillante ; sucrez avec du miel. Idéal pour remédier aux refroidissements.

gingembre en salade

Ajoutez des lamelles de gingembre au vinaigre à des nouilles chinoises froides. Assaisonnez de citron et servez en entrée.

purifier

Un jus à base de pomme, de carottes, d'ananas ou de melon avec de petits morceaux de gingembre nettoie l'organisme. Servez sur de la glace pilée.

filaments frits

Faites frire de fines lanières de gingembre dans de l'huile, égouttez les filaments croustillants sur du papier absorbant. Pour vos salades, nouilles ou soupes asiatiques.

salade de cacahuètes et friture de gingembre

soupe de galanga au poulet

salade de nouilles au gingembre et thon au sésame

salade de cacahuètes et friture de gingembre

125 g de cacahuètes non salées et concassées
2 petits piments rouges, épépinés et découpés
60 g de sucre roux
2 cuillères à soupe d'eau
huile pour friture
250 g de gingembre coupé en fines lanières
200 g de nouilles de riz chinoises*
feuilles de coriandre fraîche
feuilles de menthe fraîche
350 g de porc chinois grillé*, en tranches
2 cuillères à soupe de sauce de soja
2 cuillères à soupe de jus de citron vert

Faites caraméliser les cacahuètes avec le piment, le sucre et l'eau dans une poêle sur feu fort. Remuez, elles doivent être collantes et bien enrobées. Réservez. Réchauffez l'huile dans une casserole à feu moyen. Ajoutez le gingembre et faites frire 3 minutes. Épongez la friture sur du papier absorbant.
Faites cuire les nouilles 2 minutes dans l'eau bouillante. Égouttez et laissez refroidir.
Mélangez ensuite les nouilles, les cacahuètes, la coriandre et la menthe dans chaque assiette. Disposez les tranches de porc sur le dessus et arrosez de sauce de soja et de jus de citron vert. Pour servir, ajoutez la friture de gingembre sur la salade. Pour 4 personnes.

soupe de galanga au poulet

1 l de bouillon de poule
35 cl d'eau
10 cl de vin de riz* ou de sherry
10 lanières de galanga
1 brin de citronnelle* haché
1 petit piment rouge, épépiné et découpé en lamelles
3 blancs de poulet finement tranchés
150 g de riz cuit ou de nouilles aux œufs*
4 petits quartiers de chou chinois

Dans une casserole, faites cuire à feu moyen le bouillon de poule, l'eau, le vin de riz, le galanga, la citronnelle et le piment. Couvrez et laissez mijoter 5 minutes. Ajoutez les blancs de poulet et laissez cuire 3 minutes. Plongez ensuite les nouilles (ou le riz) et le chou et laissez sur le feu 2 minutes de plus. Retirez la citronnelle et le galanga du bouillon. Servez 4 bols à soupe. Apportez cuillères et baguettes à votre couvert pour une dégustation en règle. Pour 4 personnes.

salade de nouilles au gingembre et thon au sésame

200 g de nouilles somen déshydratées*
1 cuillère à café d'huile de sésame
1 cuillère à soupe d'huile végétale
2 cuillères à soupe de jus de citron vert
1 cuillère à café de wasabi*
30 g de gingembre au vinaigre, égoutté
50 g de ciboulette ciselée
375 g de thon cru
graines de sésame noires*, pour enrober le thon
sauce de soja et wasabi, pour servir

Plongez les nouilles 2 minutes dans une casserole d'eau bouillante. Égouttez et passez-les sous l'eau froide, puis égouttez à nouveau. Mélangez l'huile de sésame, l'huile végétale, le jus de citron vert et le wasabi. Versez cet assaisonnement sur les nouilles. Ajoutez la ciboulette ciselée et le gingembre au vinaigre puis remuez l'ensemble.
Enrobez le thon de graines de sésame. Saisissez 1 minute de chaque côté dans une poêle antiadhésive à feu vif. Découpez-le en tranches épaisses.
Pour servir, répartissez la salade de nouilles dans chaque bol et disposez les tranches de thon sur le dessus. Servez accompagné de sauce de soja et de wasabi. Pour 4 personnes.

poulet poché au gingembre

4 blancs de poulet
300 g de haricots verts
bouillon au gingembre
2 cuillères à soupe de gingembre en fines lanières
4 petits oignons frais, découpés en fines rondelles
1 anis étoilé
2 cuillères à soupe de sauce de soja
1 l de bouillon de poule

Pour préparer le bouillon au gingembre, faites cuire le gingembre, l'oignon, l'anis, la sauce de soja et le bouillon de poule dans un wok* ou une grande poêle à feu moyen. Laissez mijoter 3 minutes.
Ajoutez les blancs de poulet dans la poêle et laissez cuire 6 minutes de chaque côté. Retirez-les et réservez. Plongez les haricots 3 minutes ou plus dans le bouillon. Versez le bouillon et les haricots dans des assiettes creuses. Découpez chaque blanc de poulet en trois tranches et disposez-les sur les haricots. Servez immédiatement. Pour 4 personnes.

poulet poché au gingembre

bœuf grillé au gingembre et patates douces rôties

8 steaks très fins de 80 g chacun
2 cuillères à soupe de gingembre finement râpé
2 cuillères à soupe d'huile d'olive
poivre noir concassé
200 g de jeunes pousses d'épinards
salade de patates douces rôties
750 g de patates douces orangées (kumera), pelées
2 cuillères à soupe d'huile d'olive
sel et poivre noir concassé
10 cl de sauce de piment doux
2 cuillères à café de gingembre râpé
2 cuillères à soupe de jus de citron
1 cuillère à soupe d'huile d'olive pour assaisonner

Dégraissez les steaks et posez-les sur une assiette.
Mélangez le gingembre, l'huile et le poivre et versez
le tout sur la viande. Laissez mariner 30 minutes,
en retournant une fois.
Préchauffez le four à 180 °C. Coupez les patates douces
en gros morceaux et disposez-les dans un plat allant
au four. Ajoutez le sel, le poivre et l'huile et mélangez.
Enfournez 30 minutes, les patates doivent être bien dorées.
Faites griller les steaks 1 à 2 minutes de chaque côté.
Pour servir, disposez joliment les pousses d'épinards
sur les assiettes puis ajoutez les patates rôties
et les tranches de bœuf.
Mélangez la sauce au piment, le reste de gingembre,
le jus de citron et le reste d'huile d'olive et assaisonnez.
Pour 4 personnes.

porc sauté au gingembre

1 cuillère à soupe d'huile d'arachide
2 cuillères à soupe de gingembre haché
1 cuillère à café de poivre noir concassé
6 feuilles de citron vert cafre, hachées
2 gousses d'ail émincées
600 g de filet de porc dégraissé et en tranches
3 cuillères à soupe de jus de citron vert
2 cuillères à soupe de sucre roux
3 cuillères à soupe de sauce au piment doux
6 bok choy*, en quartiers et cuits à la vapeur

Réchauffez l'huile dans une poêle à frire ou dans un wok*
à feu moyen fort. Ajoutez le gingembre, le poivre, les feuilles
de citron, l'ail et faites revenir le tout 1 minute. Faites
ensuite sauter le porc 5 minutes. Ajoutez le jus de citron
vert, le sucre roux, la sauce au piment doux et faites
encore revenir 3 minutes. La sauce doit épaissir
légèrement. Remuez bien et maintenez encore 1 minute.
Pour servir, dressez le riz à la vapeur dans des bols et
disposez les tranches de porc dessus. Pour 4 personnes.

poisson au galanga

2 cuillères à café d'huile de sésame*
1 cuillère à soupe d'huile d'arachide
2 cuillères à soupe de galanga haché
2 grands piments rouges, découpés
10 cl de sauce de soja peu salée
10 cl de vin de riz*
2 cuillères à soupe de sucre roux
4 portions de 180 g de filet de poisson blanc
riz vapeur, pour accompagner

Réchauffez le mélange des 2 huiles dans une grande poêle
à feu moyen doux. Ajoutez le galanga et les piments et
faites revenir 2 minutes supplémentaires. Versez la sauce
de soja, le vin de riz, le sucre et laissez épaissir 1 minute.
Déposez les filets de poisson et laissez cuire dans la sauce
3 minutes de chaque côté.
Pour servir, faites un petit tas de riz dans chaque assiette
et disposez les filets de poisson dessus. Arrosez de sauce.
Accompagnez de légumes verts à la vapeur ou d'asperges.
Pour 4 personnes.

raviolis de crevettes au gingembre

300 g de crevettes hachées
1 cuillère à soupe de gingembre râpé
1 cuillère à soupe de jus de citron
1 cuillère à café d'huile de sésame*
20 crêpes de riz* pour raviolis chinois
50 cl de court-bouillon
sauce
10 cl de jus de citron
2 cuillères à soupe de sauce au piment
1 cuillère à soupe de sucre

Mélangez la chair des crevettes, le gingembre, le jus de
citron et l'huile de sésame dans un récipient. Déposez
une cuillère à soupe de cette préparation sur un carré de
pâte et humectez-en les bords avec de l'eau. Rapprochez
les bords et pressez légèrement pour les coller.
Pour pocher les raviolis, faites frémir le court-bouillon
dans une casserole sur feu moyen. Plongez quelques
raviolis pendant 3 minutes. Maintenez au chaud pendant
que vous cuisez le reste des raviolis.
Pour la sauce d'accompagnement, mélangez le jus de
citron, la sauce au piment et le sucre. Servez les raviolis
chauds et la sauce dans de petits bols à côté en entrée.
Pour 4 personnes.

bœuf grillé au gingembre et patates douces rôties

porc sauté au gingembre

raviolis de crevettes au gingembre

poisson au galanga

tarte au potiron et au gingembre

1 pâte sablée sucrée* ou 375 g de pâte prête à l'emploi
garniture
50 cl de purée de potiron
185 g de sucre roux
35 cl de crème fraîche
2 œufs
2 cuillères à soupe de farine
1 cuillère à café de cannelle en poudre
2 cuillères à café de gingembre râpé finement
1/2 cuillère à café de noix de muscade râpée

Préchauffez le four à 200 °C. Étalez la pâte sur une surface légèrement farinée et abaissez une épaisseur de 3 mm. Placez la pâte sur un moule à fond amovible d'un diamètre de 23 cm. Piquez le fond et les bords de la pâte avec une fourchette, recouvrez de papier sulfurisé et lestez avec des poids ou avec du riz. Enfournez 5 minutes à blanc, puis retirez les poids et le papier. Remettez 5 autres minutes au four. Pour préparer la garniture, mettez le potiron, le sucre, la crème, les œufs, la farine, la cannelle, le gingembre et la noix de muscade dans un saladier et mélangez bien. Versez la préparation sur le fond de tarte. Réduisez le thermostat à 180 °C et laissez cuire 25 à 30 minutes. Servez accompagné de crème fraîche épaisse. Pour 8 à 10 parts.

palets au gingembre

60 g de beurre
10 cl de sirop de sucre roux
1 cuillère à café de bicarbonate de soude*
155 g de farine
1 cuillère à soupe de gingembre confit, finement haché
125 g de sucre roux

Préchauffez le four à 160 °C. Faites fondre le beurre avec le sirop dans une casserole à feu doux.
Versez le bicarbonate et laissez la réaction se faire.
Retirez du feu.
Mélangez la farine, le gingembre et le sucre dans le bol d'un mélangeur. Ajoutez le beurre fondu et liez le tout.
Déposez des cuillerées de cette préparation sur une plaque de cuisson recouverte de papier sulfurisé. Mettez au four 12 à 15 minutes. Sortez les palets bien dorés et laissez-les refroidir. Pour 16 palets.

côtelettes pimentées et tatziki

boulettes de poulet et bouillon épicé

3 blancs de poulet découpés en morceaux
1 blanc d'œuf
1 petit piment rouge, épépiné et haché
2 cuillères à soupe de basilic thaï* haché
1 cuillère à soupe de gingembre râpé
bouillon pimenté
1,5 l de bouillon de poule
4 feuilles de citron vert cafre ciselées
1 long piment rouge, finement découpé
5 cl de vin de riz* ou de xérès
2 cuillères à soupe de sauce de soja

Pour préparer les boulettes, mixez les blancs de poulet avec le blanc d'œuf, le piment, le basilic et le gingembre. Formez chaque boulette avec l'équivalent de 2 cuillères à soupe du mélange.
Pour le bouillon pimenté, faites chauffer dans une casserole à feu moyen fort le bouillon de poule, les feuilles de citron, le piment, le vin et la sauce de soja. Laissez mijoter. Plongez au fur et à mesure les boulettes dans le bouillon et séparez-les délicatement pour ne pas les coller entre elles. Couvrez et laissez cuire 5 minutes. Retirez-les et réservez-les au chaud.
Pour servir, mettez quelques boulettes dans un bol et versez le bouillon par-dessus. Pour 4 personnes.

haricots blancs au piment

250 g de haricots blancs secs
1 cuillère à soupe d'huile d'olive
3 piments rouges, épépinés et découpés
2 oignons émincés
16 tranches de *pancetta*, en petits morceaux
1 cuillère à soupe de feuilles de sauge fraîche
2 gousses d'ail émincées
2 x 440 g de tomates pelées en boîte
50 cl de bouillon de légumes ou de bœuf
persil plat frais
2 cuillères à soupe de jus de citron
sel et poivre noir concassé

Faites tremper les haricots secs dans un grand bol d'eau 3 à 4 heures ou même toute une nuit.
Préchauffez le four à 180 °C. Réchauffez l'huile dans une poêle à feu moyen. Faites revenir les piments, les oignons, la *pancetta*, la sauge et l'ail pendant 3 minutes. Enfournez cette préparation dans un plat couvert pendant 1 heure, avec les tomates, le bouillon et les haricots préalablement égouttés. Au moment de servir, ajoutez le persil, le jus de citron, le sel et le poivre et servez avec des tranches de pain grillées. Pour 4 personnes.

potage de poivrons grillés

4 poivrons rouges, coupés en deux et épépinés
8 tomates coupées en deux
huile d'olive
75 cl de bouillon de poule
2 cuillères à soupe de basilic frais haché grossièrement
sel et poivre noir concassé
parmesan râpé, pour servir

Préchauffez le four à 200 °C. Mettez les poivrons sans le pédoncule sous le gril du four, peau vers le haut. Placez les tomates sur une autre plaque de cuisson, chair vers le haut. Badigeonnez poivrons et tomates d'un peu d'huile et mettez au four 40 minutes. La peau des poivrons doit noircir et les tomates doivent être moelleuses. Enfermez les poivrons dans un sac plastique 5 minutes avant de les peler. Mixez-les avec les tomates et un peu de bouillon pour obtenir un liquide homogène. Versez dans une casserole et faites réchauffer avec le reste du bouillon de poule. Ajoutez le basilic, servez dans des bols et assaisonnez de sel, de poivre et d'un peu de parmesan. Accompagnez de pain chaud. Pour 6 personnes en entrée et 4 personnes en plat principal.

poulet laqué au piment

1,5 kg de poulet en morceaux
sauce au piment
3 piments rouges, épépinés et hachés
1 cuillère à soupe de gingembre râpé
50 cl d'eau
15 cl de sauce de soja
10 cl de vinaigre de vin blanc
150 g de sucre
feuilles de coriandre fraîche hachées grossièrement

Pour préparer la sauce, faites cuire les piments, le gingembre, l'eau, la sauce de soja, le vinaigre et le sucre dans une poêle à feu moyen, pendant 3 minutes. Ajoutez les morceaux de poulet, couvrez et laissez mijoter 35 minutes en retournant les morceaux de temps en temps. Ôtez le couvercle et prolongez la cuisson de 25 minutes ; le poulet doit être entièrement recouvert de sauce au piment.
Ajoutez la coriandre et servez accompagné de riz blanc et de légumes verts. Pour 4 personnes.

boulettes de poulet et bouillon épicé

potage de poivrons grillés

haricots blancs au piment

poulet laqué au piment

spaghettis au piment

450 g de spaghettis
1 cuillère à soupe d'huile d'olive
2 piments rouges, épépinés et hachés
6 tranches de bacon, découennées et hachées
200 g de mascarpone*
10 g de basilic frais, haché grossièrement
poivre noir concassé
parmesan, pour servir

Faites cuire les pâtes *al dente* dans une grande casserole
d'eau bouillante.
Pendant ce temps, faites chauffer une poêle à feu moyen
fort. Versez l'huile d'olive, les piments et le bacon et faites
revenir le tout 4 minutes.
Égouttez les pâtes et remettez-les dans la casserole encore
chaude. Replacez la casserole sur un feu très doux et
ajoutez l'assaisonnement pimenté, le mascarpone, le basilic
et le poivre. Mélangez bien. Saupoudrez de parmesan
avant de servir. Pour 4 personnes.

curry de poulet au piment vert

3 piments verts, épépinés et hachés
feuilles de coriandre fraîche
1 cuillère à soupe de nuoc mam*
2 cuillères à café de cumin moulu
1 cuillère à soupe de gingembre finement haché
1 oignon rouge haché
2 cuillères à soupe d'huile d'arachide
500 g de cuisses de poulet, désossées et coupées en dés
250 g de pommes de terre nouvelles coupées en deux
25 cl de bouillon de poule
35 cl de lait de coco
3 feuilles de citron vert cafre légèrement froissées

Mixez les piments, la coriandre, le nuoc mam, le cumin,
le gingembre, l'oignon et l'huile d'arachide pour obtenir une
mixture homogène. Faites chauffer une poêle à feu moyen
et versez la pâte pimentée. Remuez pendant 5 minutes.
Ajoutez le poulet et remuez bien pendant 2 minutes.
Mettez ensuite les pommes de terre, le bouillon, le lait de
coco et les feuilles de citronnier et laissez cuire 25 minutes.
Le curry doit épaissir et le poulet doit être bien tendre.
Retirez les feuilles de citron et servez avec du riz basmati.
Pour 4 personnes.

spaghettis au piment

curry de poulet au piment vert

tofu au lait de coco   achards de tomate et de piment au parfum balsamique

salade de poulet à la sauce coco pimentée

tofu au lait de coco

2 piments rouges, épépinés et hachés
3 cuillères à soupe de sauce de soja
1 cuillère à soupe de gingembre râpé
2 cuillères à soupe de jus de citron vert
2 cuillères à soupe de sucre
600 g de tofu, égoutté et coupé en morceaux
feuilles de basilic thaï* frais
bouillon de coco
60 cl de lait de coco
60 cl de bouillon de légumes
4 feuilles de citron vert cafre découpées
500 g de patates douces, pelées et en rondelles
500 g de brocoli chinois* coupé en deux

Pour préparer le bouillon, réchauffez le lait de coco, le bouillon et les feuilles de citron vert cafre dans une poêle à feu moyen. Ajoutez les patates douces, couvrez et laissez cuire 8 minutes. Mettez le brocoli chinois et laissez 4 minutes supplémentaires sur le feu.
Faites revenir les piments, la sauce de soja, le gingembre, le sucre et le jus de citron vert dans une autre poêle à feu moyen pendant 3 minutes. Rajoutez le tofu, dorez-le 1 minute de chaque côté. Il doit être bien enrobé de sauce.
Au moment de servir, versez le bouillon de coco et ses légumes dans des assiettes creuses. Disposez le tofu par-dessus et parsemez de basilic. Pour 4 personnes.

achards de tomate et de piment au parfum balsamique

8 tomates coupées en deux
2 cuillères à soupe d'huile d'olive
3 cuillères à soupe de vinaigre balsamique
sel et poivre noir concassé
1 cuillère à soupe d'huile d'olive supplémentaire
1 oignon découpé
3 ou 4 piments rouges, épépinés et découpés
10 cl de vinaigre balsamique supplémentaire
2 cuillères à soupe de sucre roux

Préchauffez le four à 200 °C. Placez les tomates sur une plaque de cuisson, la chair vers le haut et arrosez-les d'huile d'olive, de vinaigre balsamique et de poivre. Enfournez 30 minutes puis hachez-les grossièrement. Réchauffez le reste de l'huile dans une poêle à feu moyen et faites revenir les oignons et les piments 3 minutes. Ajoutez les tomates et leur jus de cuisson, le reste de vinaigre balsamique, le sucre roux et le sel et laissez mijoter 15 minutes.
Servez comme condiment pour accompagner steaks, hamburgers, sandwichs et viandes rôties. Conservez plus de 3 mois dans un bocal stérile au réfrigérateur.
Pour 1 l de sauce.

salade de poulet à la sauce coco pimentée

1 cuillère à soupe d'huile d'arachide
2 piments rouges, épépinés et découpés
2 cuillères à café de zeste de citron vert
1 cuillère à soupe de sucre
4 blancs de poulet
100 g de jeunes pousses d'épinards
300 g de haricots verts blanchis
sauce coco pimentée
1 piment rouge, épépiné et découpé
10 cl de lait de coco
feuilles de coriandre fraîche hachées
3 cuillères à soupe de jus de citron vert
1 cuillère à soupe de nuoc mam*

Dans une poêle sur feu moyen fort, faites revenir dans l'huile les piments, le zeste de citron et le sucre pendant 1 minute. Ajoutez les blancs de poulet et laissez cuire 3 minutes de chaque côté. Réservez.
Pour préparer la sauce, mélangez le piment, le lait de coco, la coriandre, le jus de citron vert et le nuoc mam dans un bol.
Au moment de servir, disposez les pousses d'épinards et les haricots verts sur les assiettes. Découpez les blancs en tranches épaisses, déposez-les sur les légumes et arrosez de sauce. Pour 4 personnes.

rouleaux de printemps épicés

1 cuillère à soupe d'huile d'arachide
2 cuillères à soupe de gingembre râpé
5 piments rouges doux, épépinés et hachés
2 feuilles de citron vert cafre hachées
300 g de crevettes crues et décortiquées
4 oignons frais découpés
2 concombres méditerranéens*, découpés en morceaux
menthe fraîche hachée grossièrement
2 cuillères à soupe de jus de citron vert
1 cuillère à soupe de nuoc mam*
12 crêpes de riz*

Chauffez l'huile dans une poêle à feu moyen et faites-y revenir le gingembre et le piment 3 minutes. Ajoutez les feuilles de citron, les crevettes et laissez 3 minutes sur le feu. Laissez refroidir, puis ajoutez l'oignon, le concombre, la menthe, le jus de citron vert et le nuoc mam.
Plongez une crêpe de riz dans un saladier d'eau chaude pendant 30 secondes pour qu'elle s'assouplisse. Séchez-la légèrement. Déposez au centre de la galette un peu de salade de crevettes au piment et roulez la feuille. Pliez les deux côtés pour fermer. Servez les rouleaux de printemps avec de la sauce de soja ou de la sauce de piment doux.
Pour 4 personnes en entrée.

rouleaux de printemps au piment

5

ail
+oignon

essentiel

L'ail, l'oignon et les autres plantes proches de la famille des *Allium* font partie des légumes les plus forts. Leur goût puissant et leur odeur sont dus à la réaction que produit le sulfure qu'ils contiennent lorsqu'il entre en contact avec l'air. L'ail et l'oignon sont les ingrédients indispensables aux soupes, bouillons et autres ragoûts.

On prête à l'ail des vertus médicinales voire sacrées ; en réalité il est surtout célèbre pour ses nombreux usages en cuisine. Vendu parfaitement séché, il est employé entier, découpé ou haché, cru, sauté ou encore grillé. Ce bulbe révèle des saveurs tantôt âcres tantôt douces voire sucrées.

Originaire d'Asie, l'oignon est cultivé et consommé depuis la préhistoire. Il est commercialisé sous deux formes : en oignon sec, lorsqu'on l'a laissé venir à maturité et en oignon nouveau, récolté avant de former un vrai bulbe. La famille des oignons secs les plus courants comprend oignons blancs, rouges et jaunes mais aussi l'échalote et le petit oignon blanc.

oignon jaune

On le trouve toute l'année sur les étalages. Cet oignon présente une peau ferme et cassante, d'une couleur brun doré à retirer avant de le couper. Il convient à tous les modes de cuisson : rôti, frit ou grillé, il est parfait en toutes circonstances. À conserver dans un endroit sec, frais et bien aéré.

ail

Il est constitué de plusieurs gousses recouvertes d'une peau très fine. Plus elles sont entaillées, hachées menu, plus leur force augmente. À la cuisson l'ail perd la plupart de ses composants aromatiques, il devient alors plus doux et développe même parfois une saveur légèrement sucrée. Lorsque vous choisissez une tête, veillez à ce qu'elle soit ferme et bien sèche, sans taches ni parties molles.

oignon blanc

Avec sa peau blanche et fine, comme du papier à cigarette, il est plus âcre que son cousin jaune. C'est surtout lui qui fait pleurer lorsqu'on le coupe. Pour remédier à cet inconvénient, l'astuce est de le peler sous un jet d'eau froide ou de le découper très rapidement. Une cuisine bien aérée peut aussi diminuer cet effet. Cet oignon convient à toutes les préparations culinaires.

petit oignon nouveau

Comme l'échalote, c'est un oignon jeune, arraché à la terre alors que ses pousses sont encore vertes et tendres et que son bulbe n'est pas encore formé. On le consomme entier, cuit ou cru. Il se conserve parfaitement dans un linge humide au réfrigérateur.

oignon rouge

Parmi cette variété, certains oignons rouges peuvent être âcres, d'autres plus doux. Certains sont rouges jusqu'au cœur et d'autres ne le sont qu'en surface. Idéal pour les salades, il reste délicieux même cuit dans les sauces. Choisissez-le très ferme et à la peau bien sèche.

poireau

On consomme la partie la plus pâle du poireau. Enlevez les feuilles les plus épaisses puis rincez bien entre chaque couche en le fendant à partir du haut pour évacuer la terre. Conservez-le au réfrigérateur.

poireau

oignon blanc

oignon rouge

oignon jaune

petit oignon nouveau

ail

87

astuces

aïoli

Prenez de la mayonnaise maison ou une mayonnaise en pot. Ajoutez-y quelques gousses d'ail écrasées, du sel et du poivre. Cette sauce accompagne à merveille les poissons, les viandes et les sandwichs. Si vous préférez une sauce moins forte, remplacez l'ail cru par de l'ail rôti.

ail rôti

Coupez le haut de plusieurs têtes, arrosez d'un filet d'huile d'olive et mettez au four à 180 °C, pendant 30 minutes. Faites-les rôtir en même temps qu'une viande ou un poisson, puis étalez la chair moelleuse dessus.

bien dans leur peau

Faites rôtir des oignons entiers sans les peler, dans un four à 180 °C pendant 1 heure. Laissez refroidir et pressez pour en extraire la chair. Utilisez pour la soupe à l'oignon ou dans une purée de pommes de terre.

original

Déposez des poireaux dans le fond d'un plat de cuisson avec un peu d'eau ou de bouillon et posez dessus une volaille, une viande ou un poisson. Faites rôtir à votre convenance. Servez les poireaux comme accompagnement.

petits oignons apéritifs

Ôtez leur fine pellicule blanche et mettez-les dans une casserole. Recouvrez-les de vinaigre de vin blanc en ajoutant quelques feuilles de laurier, des herbes aromatiques, des grains de poivre et un peu de sucre. Faites cuire à feu doux. Dès que les oignons sont bien tendres, conservez-les dans un bocal stérilisé*. Dégustez-les avec vos sandwichs ou sur une assiette d'*antipasti*.

oignons caramélisés

Découpez 8 oignons en rondelles. Faites-les réduire à feu doux dans une grande poêle, avec 3 cuillères à soupe d'huile, du sel et du poivre. Remuez de temps en temps, le sucre des oignons va peu à peu se caraméliser. Servez chaud ou froid.

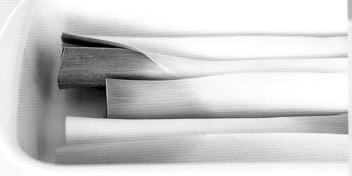

mezzé

Égouttez une boîte de haricots blancs et mixez-les avec une tête d'ail rôtie, quelques feuilles de menthe fraîche, 2 cuillères à soupe de jus de citron, 2 cuillères à soupe d'huile d'olive et 1 cuillère à café de cumin moulu. Arrosez cette purée d'un filet d'huile d'olive et servez avec de la *pita*.

soupe à l'oignon et à l'ail rôtis

tarte au bleu et à l'oignon

carré de porc à l'ail

soupe à l'oignon et à l'ail rôtis

3 têtes d'ail non pelées
8 oignons jaunes, non pelés
3 cuillères à soupe d'huile d'olive
50 cl d'eau
1 l de bouillon de bœuf*
3 pommes de terre épluchées, en morceaux
2 cuillères à soupe de thym frais
poivre noir concassé
parmesan, pour servir

Préchauffez le four à 200 °C. Coupez le haut de quelques têtes d'ail, placez-les sur une plaque de cuisson avec les oignons, arrosez d'un filet d'huile d'olive et mettez au four 50 minutes. Ôtez-leur la peau et coupez les oignons en deux. Mettez-les ensuite dans une grande casserole avec le bouillon, l'eau, les pommes de terre, le thym et le poivre. Laissez cuire à feu moyen pendant 20 minutes, la soupe doit épaissir un peu.
Servez dans des bols, saupoudrés d'un peu de parmesan et accompagnés de quelques tranches de pain grillées.
Pour 4 personnes.

tarte au bleu et à l'oignon

300 g de pâte prête à l'emploi
garniture
2 cuillères à soupe d'huile d'olive
4 oignons jaunes coupés en rondelles
1 cuillère à café de zeste de citron
200 g de bleu ou de fourme
85 g de petites olives
2 cuillères à soupe de thym frais
poivre noir concassé

Préchauffez le four à 200 °C. Étalez la pâte sur une surface farinée en lui donnant une forme rectangulaire de 3 mm d'épaisseur. Tapissez une plaque de cuisson de papier sulfurisé et posez la pâte.
Pour la garniture, faites revenir les oignons et le zeste de citron dans l'huile d'olive, pendant 20 minutes. Remuez de temps en temps. Laissez refroidir. Émiettez le fromage et répartissez-le sur la tarte en laissant des bords de 2 cm environ. Recouvrez avec les oignons, les olives, le thym et le poivre. Mettez au four 25 à 30 minutes.
Servez la tarte encore chaude, accompagnée de cresson.
Pour 8 personnes en entrée et 4 personnes en plat principal.

carré de porc à l'ail

2 carrés de porc
2 têtes d'ail non pelées
4 gousses d'ail, en plus
huile d'olive et gros sel
purée à l'ail
5 pommes de terre, entières, non pelées
60 g de beurre
15 cl de crème fraîche ou de lait
gros sel

Préchauffez le four à 230 °C. Incisez les côtes de porc entre la chair et les os, puis placez-les sur une plaque de cuisson avec les têtes d'ail.
Découpez les autres gousses d'ail en morceaux et placez-les dans les entailles. Frottez la chair de la viande avec de l'huile d'olive et du gros sel puis enfournez 25 minutes. La peau doit être bien croustillante et dorée. Retirez les têtes d'ail et réservez-les pour la purée. Réduisez le thermostat à 180 °C et prolongez la cuisson de 25 à 35 minutes.
Pour préparer la purée, faites bouillir les pommes de terre une douzaine de minutes. Égouttez-les, enlevez la peau et remettez-les dans la casserole chaude. Pressez les têtes d'ail pour en extraire la chair et mélangez-la aux pommes de terre. Ajoutez le beurre, le lait ou la crème pour obtenir une purée onctueuse. Salez, couvrez et gardez au chaud. Au moment de servir, découpez les côtes.
Disposez un peu de purée dans chaque assiette et posez la viande dessus. Servez avec des légumes vapeur et des tranches de pommes frites.
Pour 4 personnes.

spaghettis à l'ail et aux épinards

450 g de spaghettis
3 cuillères à soupe d'huile d'olive
4 gousses d'ail, émincées
2 piments rouges, épépinés et découpés
2 cuillères à soupe d'origan frais
1/2 cuillère à café de poivre noir concassé
200 g de jeunes pousses d'épinards
75 g de parmesan râpé
sel et poivre noir concassé supplémentaire

Faites cuire les spaghettis *al dente*. Pendant ce temps, réchauffez l'huile dans une petite casserole à feu moyen doux. Faites revenir 3 minutes, l'ail, le piment, l'origan et le poivre. Égouttez les pâtes et mettez-les dans le plat de service. Versez la sauce à l'ail, ajoutez les pousses d'épinards, le parmesan, le sel et le reste de poivre noir.
Pour 4 personnes.

spaghettis à l'ail et aux épinards

poulet au four
et pommes rôties à l'ail

2 cuillères à soupe d'huile d'olive
6 pommes de terre coupées en morceaux
feuilles d'origan frais
12 gousses d'ail, non pelées
gros sel et poivre noir concassé
4 blancs de poulet, avec leur peau
huile

Préchauffez le four à 200 °C. Mélangez l'huile d'olive, les pommes de terre, l'origan, l'ail, le sel et le poivre dans un plat de cuisson. Enfournez 25 à 30 minutes.
Pendant ce temps, badigeonnez les blancs de poulet avec un peu d'huile et enrobez la peau de gros sel et de poivre. Chauffez une poêle à feu moyen fort et saisissez les blancs, côté peau, 3 minutes. La peau doit être bien dorée. Placez-les ensuite, côté peau au-dessus, sur les pommes de terre et prolongez la cuisson au four de 10 minutes.
Pour servir, pressez l'ail pour en extraire la chair et répartissez-la sur les pommes de terre et le poulet.
Accompagnez de haricots vapeur et d'un filet de citron.
Pour 4 personnes.

salade de légumes rôtis
et vinaigrette à l'ail

8 petits quartiers de potiron
650 g de patates douces, pelées et découpées
2 panais, pelés et coupés en deux
2 petits bulbes de fenouil, coupés en deux
2 têtes d'ail non pelées
huile d'olive
sel et poivre noir concassé
vinaigrette à l'ail
2 cuillères à soupe de vinaigre de cidre
3 cuillères à soupe d'huile d'olive
2 cuillères à soupe de parmesan râpé

Préchauffez le four à 200 °C. Mettez le potiron, les patates douces, les panais, le fenouil et l'ail dans un plat de cuisson. Arrosez d'huile d'olive et assaisonnez de sel et de poivre. Faites cuire 35 minutes. Retirez l'ail du plat et conservez les légumes dans le four éteint.
Pressez l'ail pour en extraire la chair et mélangez-la avec le vinaigre, l'huile d'olive et le parmesan. Au moment de servir, versez la sauce sur les légumes rôtis.
Pour 4 personnes.

poulet au four et pommes rôties à l'ail

salades de légumes rôtis et vinaigrette à l'ail

confiture d'oignon

8 oignons jaunes, coupés en rondelles
1 cuillère à soupe de graines de cumin
1 cuillère à soupe de graines de coriandre
75 cl de vinaigre de vin blanc
550 g de cassonade

Faites cuire les oignons à feu moyen fort avec le cumin, la coriandre et le vinaigre. Couvrez la casserole et laissez mijoter 15 minutes. Ajoutez la cassonade et laissez cuire sans couvercle pendant 1 heure. Le sirop doit épaissir. Versez la confiture dans un bocal stérilisé* et fermez-le immédiatement. Servez cette confiture avec de la viande ou des légumes rôtis. Pour un peu plus d'1 kg de confiture.
note – sous vide, elle se conserve un an. Après ouverture, rangez-la au réfrigérateur jusqu'à 8 semaines.

risotto au poireau
et poisson poêlé au citron

1,25 l de bouillon de légumes
2 cuillères à soupe d'huile d'olive
3 poireaux, découpés en rondelles
500 g de risotto ou de riz arborio*
50 g de parmesan râpé
2 cuillères à soupe de jus de citron
poivre noir concassé
poisson poêlé au citron
60 g de beurre
2 cuillères à café de zeste de citron
2 cuillères à soupe de persil plat haché grossièrement
4 x 180 g de filet de poisson blanc à chair ferme
2 cuillères à soupe de jus de citron

Faites réchauffer à feu doux le bouillon de légumes dans une casserole. Dans une cocotte, versez l'huile d'olive et faites roussir les poireaux environ 6 minutes. Ajoutez le riz et remuez pendant 1 minute. Il doit devenir translucide. Mouillez progressivement le riz avec 25 cl de bouillon de légumes et continuez de remuer jusqu'à l'absorption du liquide. Une fois les 25 cl bien absorbé, renouvelez l'opération. Le riz doit devenir mou et crémeux.
Si nécessaire, faites chauffer un peu plus de bouillon. Dans une poêle chauffée à feu moyen fort, versez le beurre, les zestes de citron et le persil. Coupez les filets de poisson en deux et faites-les poêler 2 minutes de chaque côté. Ajoutez le jus de citron. Agrémentez le risotto du reste de jus de citron, de poivre, de parmesan et servez-le dans des assiettes creuses, avec le poisson. Décorez de rondelles de citron et saupoudrez de parmesan. Pour 4 personnes.

linguine de la mer
aux poireaux

450 g de linguine*
2 cuillères à soupe d'huile d'olive
4 poireaux, coupés dans la longueur
1 kg de crevettes crues, décortiquées
80 g de câpres au sel*, rincées
3 cuillères à soupe de jus de citron
1 cuillère à soupe de zeste de citron
90 g de jeunes pousses d'épinards
poivre noir concassé

Faites cuire les linguine *al dente*. Pendant ce temps, réchauffez l'huile d'olive dans une poêle à feu moyen fort. Laissez revenir les poireaux 5 minutes. Ajoutez les crevettes et faites-les sauter 2 minutes en remuant. Versez les câpres, le zeste et le jus de citron et prolongez la cuisson de 2 minutes. Les crevettes doivent être bien cuites.
Égouttez les pâtes et mettez-les dans un plat de service avec les pousses d'épinards. Ajoutez les crevettes, poivrez et mélangez bien le tout. Servez immédiatement. Pour 4 personnes.

ragoût de veau à l'oignon

2 cuillères à soupe d'huile d'olive
1,5 kg de jarret de veau, découpé en 8 tranches épaisses
farine
1 cuillère à soupe supplémentaire d'huile d'olive
4 oignons jaunes ou blancs, en rondelles
3 gousses d'ail découpées
3 feuilles de laurier
25 cl de vin blanc sec
1 l de bouillon de bœuf
10 cl de jus de citron

Préchauffez le four à 180 °C. Faites chauffer l'huile dans une grande poêle. Farinez les tranches de veau et faites-les revenir à la poêle 4 minutes de chaque côté. Mettez-les ensuite dans un grand plat de cuisson. Versez le reste de l'huile dans la poêle et faites rissoler les oignons pendant 8 minutes en remuant de temps en temps. Ajoutez l'ail, le laurier, le bouillon de bœuf, le vin et le jus de citron. Arrosez le veau avec cette préparation et recouvrez d'une feuille de papier aluminium. Enfournez 85 minutes, puis retournez la viande. Remettez au four 30 minutes de plus à découvert. Servez accompagné d'une purée de pommes de terre onctueuse.
Pour 4 personnes.

confiture d'oignon

linguine de la mer aux poireaux

risotto au poireau et poisson poêlé au citron

ragoût de veau à l'oignon

beignets de bacon et oignons au vinaigre balsamique

lentilles du Puy aux poireaux braisés

bœuf grillé et salade d'oignons rouges

beignets de bacon et oignons au vinaigre balsamique

125 g de farine à gâteaux*
1/2 cuillère à café de levure
3 œufs
20 cl de lait
85 g de beurre fondu
8 tranches de bacon découenné et dégraissé
50 g de cheddar râpé
sel et poivre noir concassé
huile de friture
100 g de jeunes pousses d'épinards
oignons au vinaigre balsamique
1 cuillère à soupe d'huile d'olive
4 oignons jaunes ou rouges, coupés en rondelles
10 cl de vinaigre balsamique
20 cl de bouillon de poule*
2 cuillères à soupe de sucre roux
2 cuillères à soupe de thym frais

Faites chauffer l'huile dans une casserole à feu moyen doux. Ajoutez les oignons, le vinaigre, le bouillon, le sucre et le thym. Couvrez et laissez cuire 30 minutes en remuant de temps en temps.
Pendant ce temps, versez la farine et la levure dans un bol. Dans un autre, fouettez les œufs avec le lait et le beurre fondu. Incorporez la farine en mélangeant bien. Découpez le bacon et ajoutez-le à la pâte ainsi que le fromage, le sel et le poivre. Réchauffez un peu d'huile dans une poêle à feu moyen doux. Faites frire 3 à 4 cuillères à soupe de pâte 3 minutes de chaque côté.
Pour servir, recouvrez quelques beignets, d'oignons et de pousses d'épinards. Pour 4 personnes.

haricots blancs à l'ail

1 kg de haricots blancs frais
8 gousses d'ail pelées
12 petits oignons frais
6 tomates bien mûres, coupées en deux
75 cl de bouillon de bœuf*
8 branches de thym frais
2 cuillères à soupe de menthe fraîche, grossièrement hachée
sel et poivre noir concassé

Préchauffez le four à 200 °C. Écossez les haricots et mettez-les dans un plat de cuisson avec l'ail, les petits oignons, les tomates, le bouillon de bœuf et le thym. Couvrez légèrement avec de l'aluminium et mettez au four 1 heure. Ôtez l'aluminium, remuez les haricots et prolongez la cuisson de 20 minutes à découvert. Ajoutez la menthe, le sel et le poivre. Servez accompagné de *bruschetta* à l'ail.

lentilles du Puy aux poireaux braisés

4 poireaux coupés en deux dans la longueur
4 tomates coupées en deux
2 cuillères à soupe d'huile d'olive
sel et poivre noir concassé
lentilles
2 cuillères à café d'huile d'olive
2 gousses d'ail
320 g de lentilles du Puy*
1 l de bouillon de légumes*
persil plat frais et haché grossièrement
3 cuillères à soupe de jus de citron

Préchauffez le four à 180 °C. Placez les poireaux sur une plaque de cuisson, côté coupé sur le dessus. Recouvrez-les avec les demi-tomates, face coupée également vers le haut. Arrosez d'huile d'olive, salez et poivrez. Mettez au four 40 minutes.
Pendant ce temps, versez l'huile dans une cocotte à feu moyen et faites revenir l'ail. Ajoutez les lentilles et le bouillon, couvrez et laissez cuire 35 minutes.
Pour servir, disposez les poireaux et les tomates sur les assiettes. Assaisonnez les lentilles de persil, de jus de citron, de sel et de poivre et servez-les sur le lit de légumes. Pour 4 personnes.

bœuf grillé et salade d'oignons rouges

650 g de rumsteck ou d'aloyau
huile
poivre noir concassé
salade d'oignons rouges
2 oignons rouges coupés en petits morceaux
3 petits oignons frais coupés grossièrement
15 cl de vinaigre de cidre
3 cuillères à soupe de sucre
feuilles de menthe fraîche grossièrement hachées
persil plat frais haché
150 g de jeunes pousses d'épinards

Dans un petit saladier, mélangez les deux sortes d'oignons, le vinaigre et le sucre et laissez macérer 10 minutes. Pendant ce temps, huilez les deux côtés du steak et poivrez-le. Préchauffez une poêle ou une grille sur feu vif. Faites saisir la viande 2 minutes de chaque côté, ou plus selon la cuisson désirée, et découpez-la en morceaux épais. Amalgamez la menthe, le persil et les pousses d'épinards à la salade d'oignons.
Répartissez la verdure dans chaque assiette et déposez les morceaux de steak par-dessus. Pour 4 personnes.

haricots blancs à l'ail

poulet mariné au vinaigre balsamique

4 blancs de poulet
10 cl de vinaigre balsamique
15 cl de bouillon de poule*
2 cuillères à soupe de sucre
1 gousse d'ail écrasée
couscous à l'ail
300 g de couscous* fin
55 cl de bouillon de poule bouillant
60 g de beurre
4 gousses d'ail émincées
2 cuillères à soupe de thym frais

Faites mariner les blancs de poulet 10 minutes
de chaque côté, dans le mélange de vinaigre balsamique,
de bouillon, de sucre et d'ail.
Pendant ce temps, versez le bouillon très chaud sur
le couscous et recouvrez le récipient d'un film plastique.
Laissez gonfler 5 minutes, la totalité du bouillon doit être
absorbée. Réchauffez le beurre dans une poêle
à feu moyen doux puis l'ail et le thym et laissez 3 minutes.
Ajoutez la semoule et faites cuire 2 minutes en remuant.
Préchauffez une poêle huilée, à feu moyen fort.
Retirez les blancs de poulet de la marinade et saisissez-les
3 à 4 minutes de chaque côté. Versez la marinade
dans la poêle et prolongez la cuisson 1 minute
de chaque côté. Le poulet doit être bien cuit
et la sauce doit épaissir un peu.
Au moment de servir, déposez les parts de poulet sur
un lit de couscous et arrosez de marinade. Accompagnez
de légumes verts vapeur. Pour 4 personnes.

crêpes aux oignons nouveaux et poulet laqué

125 g de farine de blé
125 g de farine de riz*
3 œufs
40 cl de lait
une pincée de sel
1 cuillère à soupe d'huile de sésame*
4 petits oignons nouveaux découpés
poulet laqué
15 cl de sauce hoisin*
4 cuillères à soupe de sauce de soja
2 cuillères à soupe de sucre
4 blancs de poulet
6 petits oignons nouveaux découpés

Dans une jatte, mélangez les deux farines, les œufs, le lait,
le sel et l'huile de sésame. Ajoutez les petits oignons. Faites
chauffer à feu moyen fort une poêle légèrement graissée et
versez-y une bonne louche de pâte pour former une crêpe.
Faites-la cuire 2 minutes de chaque côté et réservez au
chaud au fur et à mesure.
Dans une autre poêle sur feu moyen, réchauffez 2 minutes
la sauce hoisin, la sauce de soja et le sucre. Mettez ensuite
le poulet et laissez cuire 5 minutes de chaque côté.
La sauce doit épaissir.
Pour servir, découpez les blancs de poulet en tranches
fines et disposez-les sur les crêpes, dans chaque assiette.
Arrosez du jus de cuisson et parsemez de petits oignons
nouveaux finement découpés. Vous pouvez rouler les
crêpes avec leur garniture et les accompagner de légumes
verts vapeur en plat principal. Pour 4 personnes.

poulet mariné au vinaigre balsamique

crêpes aux oignons nouveaux et poulet laqué

chocolat

essentiel

Le bon chocolat est le fruit d'une alchimie complexe. Il existe plus de 30 variétés de fèves de cacao, et les producteurs de chocolat, tout comme ceux de café, connaissent l'art des mélanges afin d'obtenir la saveur recherchée. Fruit du cacaoyer qui pousse dans les forêts tropicales d'Amérique du Sud, les fèves de cacao sont ouvertes afin d'en extraire le cœur, les graines. Celles-ci sont fermentées pour neutraliser leur amertume, puis séchées et torréfiées pour intensifier leur arôme et leur parfum. Après la torréfaction, elles sont moulues pour en extraire la précieuse liqueur de cacao, laquelle est ensuite raffinée pour obtenir le beurre et la poudre de cacao.

Pour la fabrication du chocolat, la liqueur et le beurre de cacao sont tout d'abord pétris avec du sucre, des produits dérivés du lait et divers arômes. Cette pâte de cacao est ensuite réduite en une consistance plus fine puis battue pour développer ses parfums et donner au chocolat une texture parfaitement homogène.

chocolat de couverture au lait

De très bonne qualité, il contient un fort pourcentage de beurre de cacao, est plutôt doux et sucré, avec du lait concentré ou en poudre.
La présence du lait le rend délicat à cuire car il peut difficilement être chauffé sans rapidement brûler. Vous pouvez cependant l'utiliser pour la préparation de mousses et de glaçage. Seul inconvénient, ce chocolat ne se conserve pas bien. Enveloppez-le et rangez-le dans un endroit sec, à l'abri de l'humidité et des odeurs environnantes.

chocolat de couverture noir

Il existe du plus amer, avec environ 75 % de cacao et peu de sucre, au plus doux, avec 55 % de cacao et une petite quantité de sucre. Le chocolat amer renferme du cacao pur. Pour l'utiliser en pâtisserie, il doit être nécessairement sucré. Le chocolat noir peu sucré est idéal pour les préparations ; facile à fondre et à mouler, il est aussi adapté à toute sorte de nappage. Il faut le tempérer* avant de le modeler ou de l'employer pour un glaçage. Le chocolat noir se conserve sans problème. Bien enveloppé dans un endroit sec et frais, il peut se garder pendant plus d'un an.

chocolat blanc

C'est l'imposteur de l'univers du chocolat. Il ne contient pas un gramme de cacao. Le meilleur a une couleur ivoire ou crème, jamais totalement blanche. Il ne supporte pas d'être chauffé, sauf à faible température, et ne peut s'employer en remplacement d'un chocolat noir. Il ne se conserve pas longtemps. Emballez-le bien et gardez-le au réfrigérateur.

cacao

Après l'extraction du beurre et de la liqueur de cacao, une masse compacte reste dans le pressoir. Elle est alors pulvérisée afin d'obtenir une poudre. Celle-ci contient entre 10 et 24 % de beurre de cacao et pas de sucre. Il existe deux sortes de cacao : le cacao naturel non alcalinisé et le cacao alcalinisé. Ce dernier est moins acide, d'une belle couleur et riche en arôme. Il est idéal pour la pâtisserie. Dans vos préparations, veillez à ne jamais remplacer le cacao par du cacao sucré ou de la poudre chocolatée.

pépites de chocolat

Il s'agit d'un chocolat de pâtisserie de qualité inférieure mais simple d'emploi. Il ne fond pas aussi facilement que le vrai chocolat, car tout le beurre de cacao a été remplacé par de l'huile de palme, de l'huile de soja et des émulsifiants. Bien adapté aux nappages et à la décoration des desserts, il ne nécessite pas d'être tempéré*.

chocolat de couverture au lait

cacao

chocolat de couverture noir

pépites de chocolat

chocolat blanc

107

astuces

palets argentés

Déposez de larges et fins palets de chocolat fondu sur du papier sulfurisé. Laissez durcir 3 minutes, puis saupoudrez de sucre d'argent.
Placez au réfrigérateur avant de déguster.

liqueur de chocolat

Faites fondre 125 g de chocolat au lait et 25 cl de crème fraîche à feu doux. Laissez refroidir.
Ajoutez 3 à 4 cuillères à soupe de liqueur de noisette. Servez pur ou avec de la glace.
Conservez au réfrigérateur 2 semaines.

boules glacées au chocolat

Une idée rafraîchissante pour terminer un repas : mettez des boules de glace sur une grille que vous placez au congélateur. Plongez-les ensuite dans un bain de chocolat fondu légèrement refroidi, remettez à givrer pour que la couche de chocolat durcisse.

chocolat chaud

Cassez des morceaux de chocolat blanc dans un grand verre. Versez du lait chaud et mélangez pour bien faire fondre. Servez avec une longue cuillère.

tout chocolat

Pour les inconditionnels du chocolat, versez de la sauce au chocolat sur une large part de brownie et sur quelques boules de votre glace préférée.

truffes

Faites fondre à feu doux 250 g de chocolat, 55 g de beurre et 15 cl de crème fraîche. Mélangez bien. Placez au frais, puis formez de petites boules que vous roulerez dans du cacao.

pour un glaçage parfait

Ajoutez 1 cuillère à soupe d'huile végétale à 300 g de chocolat noir. Faites fondre pour obtenir un mélange homogène. Laissez bien refroidir votre gâteau avant d'étaler le glaçage.

forêt noire glacée

cookies au chocolat

gâteau au chocolat et glaçage au chocolat

forêt noire glacée

1 gâteau au chocolat (voir recette ci-contre)
350 g de fruits rouges frais ou congelés
1 l de glace à la vanille ou au chocolat, un peu ramollie

Préparez le gâteau au chocolat dans un moule à manqué carré de 23 cm de côté. Laissez-le refroidir et partagez-le en deux dans l'épaisseur. Mélangez les fruits rouges avec la glace et versez cette préparation dans le moule déjà utilisé. Réservez 1 heure au congélateur.
Retirez la glace du plat. Déposez une première couche de gâteau au chocolat sur un plat de service, intercalez une couche de glace et recouvrez d'une troisième couche de gâteau.
Avec un couteau à dents, découpez en petites parts et servez immédiatement. Pour 12 parts.

cookies au chocolat

250 g de beurre mou
1 cuillère à café d'extrait de vanille
330 g de sucre roux
2 œufs
125 g de farine
125 g de farine à gâteaux*
60 g de cacao
60 g de coco râpé
250 g de chocolat noir en morceaux

Préchauffez le four à 160 °C. Fouettez le beurre, la vanille et le sucre dans le bol d'un batteur électrique jusqu'à obtenir un mélange crémeux. Ajoutez les œufs et incorporez ensuite la farine, le cacao, la coco et le chocolat.
Déposez la préparation en petits tas de 60 g sur une plaque de cuisson tapissée de papier sulfurisé.
Enfournez 12 à 15 minutes.
Servez les cookies chauds ou froids avec du chocolat chaud. Pour 18 pièces.

gâteau au chocolat et glaçage au chocolat

250 g de beurre mou
220 g de sucre
6 gros œufs
185 g de farine
1/2 cuillère à café de levure chimique
100 g de cacao
glaçage
185 g de chocolat noir en morceaux
10 cl de crème fraîche

Préchauffez le four à 180 °C. Dans le bol d'un batteur électrique, fouettez le beurre et le sucre pour obtenir une émulsion crémeuse. Ajoutez les œufs un par un et remuez fermement. Saupoudrez la farine, la levure et le cacao, mélangez bien.
Versez la préparation dans un moule à manqué carré de 20 cm de côté, tapissé de papier sulfurisé.
Enfournez 40 minutes. Laissez refroidir hors du four.
Pour le glaçage, faites fondre le chocolat avec la crème fraîche dans une casserole. Réservez en laissant à température ambiante.
Placez le gâteau 30 minutes au réfrigérateur pour qu'il soit bien froid. Versez le glaçage dessus et remettez au réfrigérateur. Pour 8 personnes.

macarons coco et chocolat

3 blancs d'œufs
185 g de sucre
375 g de coco râpé
garniture au chocolat
5 cl de crème fraîche
90 g de chocolat noir en morceaux
30 g de beurre

Préchauffez le four à 180 °C. Mélangez les blancs d'œufs, le sucre et la coco dans un bol. Faites de petits tas avec l'équivalent d'1 cuillère à soupe et placez-les sur une plaque de cuisson tapissée de papier sulfurisé.
Mettez au four 10 minutes. Laissez refroidir.
Pour la garniture au chocolat, amenez la crème presque à ébullition, dans une casserole à feu moyen. Hors du feu, ajoutez le chocolat et le beurre, remuez bien.
Placez au réfrigérateur et laissez épaissir.
Placez un peu de cette préparation entre deux macarons que vous servirez avec un bon café serré. Pour 16 pièces.

macarons coco et chocolat

brownies

250 g de beurre
1 cuillère à café d'extrait de vanille
375 g de sucre
60 g de sucre roux
4 œufs
165 g de farine
100 g de cacao
1/4 de cuillère à café de levure chimique

Préchauffez le four à 170 °C. Fouettez le beurre ramolli, la vanille, le sucre et le sucre roux dans le bol d'un batteur électrique pour obtenir une mousse légère et onctueuse. Ajoutez les œufs un par un et battez fermement. Saupoudrez la farine, le cacao et la levure et incorporez délicatement.
Versez le tout dans un moule à manqué carré tapissé de papier sulfurisé, et mettez au four 40 à 50 minutes. Laissez refroidir dans le moule. Découpez en petites parts carrées et servez chaud ou froid avec un espresso ou un thé.
Pour 16 pièces.

brownies aux trois chocolats

185 g de beurre
185 g de chocolat noir en petits morceaux
3 œufs
275 g de sucre
80 g de farine
60 g de cacao
75 g de chocolat blanc en morceaux
75 g de chocolat au lait en morceaux

Préchauffez le four à 180 °C. Faites fondre le chocolat noir avec le beurre dans une casserole à feu doux en mélangeant bien. Laissez refroidir. Dans le bol d'un batteur électrique, fouettez les œufs et le sucre pour obtenir une crème légère. Amalgamez les deux préparations. Saupoudrez la farine et le cacao puis remuez. Ajoutez les chocolats blanc et au lait en morceaux puis versez l'ensemble dans un moule à manqué carré de 23 cm de côté, tapissé de papier sulfurisé. Enfournez 35 à 40 minutes. Laissez refroidir et découpez en petits carrés. Servez avec un verre de liqueur. Pour 20 pièces.

brownies des îles

185 g de raisins
10 cl de rhum brun
200 g de beurre
125 g de chocolat noir en morceaux
500 g de sucre
4 œufs
125 g de farine
2 cuillères à soupe de cacao
1/4 de cuillère à café de levure chimique

Préchauffez le four à 180 °C. Faites chauffer le rhum et les raisins dans une casserole à feu doux. Le liquide doit être absorbé par les fruits. Réservez. Faites fondre le beurre et le chocolat en remuant bien. Versez ensuite dans un grand bol et ajoutez les œufs, la farine, le cacao, la levure et les raisins. Mélangez le tout. Versez la préparation dans un moule à manqué carré préalablement tapissé de papier sulfurisé. Enfournez 50 à 60 minutes. Laissez refroidir complètement avant de découper des parts carrées. Pour 24 pièces.

brownies aux noisettes

200 g de chocolat noir en morceaux
250 g de beurre
385 g de sucre roux
4 œufs
125 g de farine
1/4 de cuillère à café de levure chimique
40 g de cacao
100 g de noix de macadamia concassées
100 g de noisettes légèrement grillées et concassées

Préchauffez le four à 180 °C. Faites fondre le chocolat avec le beurre dans une casserole à feu doux et remuez. Mélangez le sucre, les œufs, la farine, la levure, le cacao et le chocolat fondu dans un bol. Ajoutez les noix de macadamia et les noisettes. Versez la préparation dans un moule à manqué carré tapissé de papier sulfurisé. Faites cuire au four 30 à 35 minutes. Laissez refroidir le gâteau dans son moule puis découpez-le en petites parts carrées. Pour 24 pièces.

brownies

brownies des îles

brownies aux trois chocolats

brownies aux noisettes

gâteau au caramel de chocolat

75 g de beurre

1 cuillère à café d'extrait de vanille

8 œufs

330 g de sucre

80 g de cacao

125 g de farine

caramel de chocolat

375 g de chocolat noir en morceaux

20 cl de crème fraîche

155 g de beurre

Préchauffez le four à 180 °C. Tapissez de papier sulfurisé le fond de deux moules de 20 cm de diamètre. Faites fondre à feu doux le beurre avec l'extrait de vanille et laissez refroidir. Dans le bol d'un batteur électrique, fouettez les œufs avec le sucre pendant 8 minutes. Le mélange doit tripler de volume, devenir léger et crémeux. Tamisez le cacao et la farine et saupoudrez au-dessus des œufs. Incorporez délicatement en ajoutant le beurre fondu. Répartissez la préparation dans les deux moules. Mettez au four 25 minutes. Laissez refroidir. Coupez chaque gâteau en deux dans l'épaisseur.
Pour le caramel, laissez fondre le chocolat à feu doux avec le beurre et la crème fraîche. Mélangez bien. Retirez du feu et placez au frais. Une fois refroidie, fouettez cette préparation dans le bol d'un batteur électrique pour obtenir une crème légère.
Disposez un rond de gâteau sur le plat de service et nappez-le de crème au chocolat. Recouvrez d'une autre couche de gâteau et renouvelez l'opération. Finissez par un nappage. Pour 10 à 12 parts.

sorbet au cacao

70 cl d'eau

250 g de sucre

125 g de cacao

Faites fondre le sucre dans l'eau dans une casserole à feu doux. Ajoutez le cacao et laissez cuire ce sirop 15 minutes. Retirez du feu et laissez refroidir.
Versez dans une sorbetière en suivant les instructions pour préparer un sorbet ou sinon mettez la préparation dans un récipient en métal et placez-le au congélateur. Remuez toutes les heures, jusqu'à obtenir une consistance homogène et prête à servir. Pour 4 à 6 personnes.

gâteau aux poires et au chocolat

80 g de beurre

150 g de sucre roux

2 cuillères à soupe d'eau

4 petites poires, pelées, épépinées et coupées en deux

gâteau

185 g de beurre

330 g de sucre roux

3 œufs

250 g de farine à gâteaux*

40 g de cacao

Préchauffez le four à 180 °C. Faites fondre le beurre avec le sucre et l'eau dans une poêle, à feu moyen. Ajoutez les poires, face externe vers le haut, et faites-les revenir 2 minutes. Disposez les poires dans un moule rond de 23 cm de diamètre préalablement tapissé de papier sulfurisé. Versez le jus de cuisson sur les poires et réservez.
Pour préparer le gâteau, fouettez le beurre et le sucre dans le bol d'un batteur électrique pour obtenir une pâte légère et onctueuse. Cassez les œufs un par un et battez fermement. Saupoudrez la farine et le cacao sur la préparation et mélangez délicatement.
Versez dans le moule pour recouvrir les poires. Enfournez 50 à 60 minutes. Laissez refroidir 5 minutes avant de démouler en renversant le moule. Servez avec de la crème fraîche. Pour 8 à 10 parts.

gâteau à la liqueur

125 g de chocolat de couverture noir en morceaux

155 g de beurre

3 œufs

75 g de sucre

40 g de farine

40 g de farine à gâteaux*

250 g d'amandes en poudre

10 cl de liqueur (Frangelico, Amaretto, Grand Marnier…)

Préchauffez le four à 160 °C. Faites fondre le beurre et le chocolat dans une casserole à feu doux, en remuant bien. Mélangez les œufs, le sucre, les farines, les amandes, la liqueur et le chocolat fondu. Versez l'ensemble de la préparation dans un moule de 20 cm de diamètre, préalablement tapissé de papier sulfurisé. Laissez au four 30 minutes. Servez chaud avec un verre de liqueur.
Pour 10 à 12 parts.

gâteau au caramel de chocolat

gâteau aux poires et au chocolat

sorbet au cacao

gâteau à la liqueur

petits puddings

panna cotta au chocolat

petits puddings

185 g de chocolat noir en morceaux
185 g de beurre
60 g de lait en poudre
4 œufs
125 g de sucre
125 g d'amandes en poudre
40 g de farine
3 cuillères à soupe supplémentaires de sucre

Préchauffez le four à 160 °C. Dans une casserole à feu doux, faites fondre le beurre et le chocolat dans le lait en poudre. Retirez du feu et réservez.
Fouettez les jaunes d'œufs avec le sucre pour obtenir une crème légère et crémeuse. Incorporez le chocolat, les amandes et la farine.
Montez les blancs en neige en ajoutant délicatement le sucre supplémentaire. Amalgamez les blancs à la crème. Versez le tout dans 6 petits moules darioles* d'une contenance de 25 cl. Faites-les cuire au bain-marie dans le four pendant 25 minutes. Les bords doivent bien cuire et le centre rester moelleux. Servez démoulé avec de la crème fraîche épaisse. Pour 6 pièces.

panna cotta au chocolat

1 l de crème fraîche
165 g de sucre glace
1 cuillère à café d'extrait de vanille
185 g de chocolat de couverture au lait ou noir en morceaux
2 cuillères à café de gélatine en poudre
6 cl d'eau

Dans une casserole, faites réchauffer à feu doux la crème, le sucre glace et la vanille. Remuez de temps en temps jusqu'à ce que le liquide réduise d'un tiers. La crème ne doit pas attacher. Ajoutez le chocolat et mélangez bien.
Dans un bol, ajoutez l'eau à la gélatine, laissez agir 5 minutes puis réchauffez-la dans une casserole pour qu'elle se dissolve. Incorporez-la à la crème et laissez cuire l'ensemble 1 minute.
Répartissez cette préparation dans 6 moules ou ramequins d'une contenance de 12,5 cl. Laissez raffermir au réfrigérateur 4 à 6 heures. Servez avec des fruits. Pour 6 personnes.

fondant au chocolat

semi-fredo aux copeaux de chocolat

petites marquises au chocolat

fondant au chocolat

300 g de chocolat de couverture noir en morceaux
250 g de beurre
5 œufs
55 g de sucre
1 cuillère à café d'extrait de vanille
90 g de farine à gâteaux*
des fruits rouges, pour servir

Préchauffez le four à 130 °C. Faites fondre le beurre
et le chocolat dans une casserole à feu doux en remuant
constamment. Réservez. Fouettez les jaunes d'œufs,
le sucre et la vanille dans le bol d'un batteur électrique.
Le mélange doit épaissir et s'éclaircir.
Dans un autre récipient, montez les blancs en neige très
fermes. Amalgamez le chocolat fondu et les jaunes d'œufs
puis saupoudrez la farine au-dessus et mélangez au fur
et à mesure. Incorporez ensuite les blancs. Versez
l'ensemble dans un moule de 20 cm de diamètre dont
vous aurez préalablement tapissé le fond de papier
sulfurisé. Enfournez 75 minutes. Laissez dans le moule.
Servez avec des fruits rouges. Pour 8 à 10 parts.
note – pour apprécier la saveur et la consistance de ce
gâteau, laissez-le refroidir, servez à température ambiante.

semi-fredo aux copeaux de chocolat

50 cl de crème fraîche
80 g de sucre
1 cuillère à café d'extrait de vanille
4 œufs
85 g de chocolat noir râpé
85 g de chocolat au lait râpé

Fouettez la crème pour qu'elle raffermisse et mettez-la
au réfrigérateur. Battez les jaunes d'œufs avec le sucre
et la vanille dans le bol d'un batteur électrique pour obtenir
un mélange épais et plutôt clair. Montez les blancs en
neige. Amalgamez délicatement les deux préparations,
la crème et les petits copeaux de chocolats. Versez
l'ensemble dans un récipient en métal couvert et placez
au congélateur pendant 3 heures. Servez en boules.
Pour 6 personnes.

petites marquises au chocolat

300 g de chocolat de couverture noir en morceaux
150 g de beurre
6 œufs
1 cuillère à café d'extrait de vanille
4 cuillères à soupe de sucre
glaçage
200 g de chocolat noir en morceaux
10 cl de crème fraîche
85 g de beurre

Préchauffez le four à 170 °C. Tapissez de papier sulfurisé
le fond de 8 petits moules d'une capacité de 25 cl.
Faites fondre le chocolat et le beurre dans une casserole,
à feu doux.
Dans le bol d'un batteur électrique, mettez les œufs,
la vanille et le sucre. Fouettez pour obtenir un mélange
épais et plutôt clair. Incorporez le chocolat fondu.
Répartissez dans les moules à muffins et enfournez
12 à 15 minutes. Laissez refroidir à l'air ambiant puis
placez 2 heures au réfrigérateur.
Pour le glaçage, laissez fondre à feu doux le chocolat
avec le beurre et la crème. Mélangez bien et laissez
durcir le glaçage.
Démoulez les petites marquises et servez-les nappées.
Pour 8 personnes.

tarte au chocolat blanc

1 pâte sablée sucrée*, ou 375 g de pâte prête à l'emploi
225 g de framboises
garniture
300 g de chocolat blanc en morceaux
50 cl de crème fraîche
4 jaunes d'œufs

Préchauffez le four à 200 °C. Sur une surface farinée,
abaissez une pâte de 3 mm d'épaisseur. Disposez-la dans
un moule à tarte de 25 cm de diamètre possédant un fond
amovible. Piquez la pâte avec une fourchette et recouvrez
de papier sulfurisé. Faites-la cuire à blanc, lestée de poids
ou de riz pendant 5 minutes. Retirez les poids et le papier
et remettez au four 6 minutes ; la pâte doit être bien dorée.
Pour la garniture, faites fondre le chocolat avec la crème
sur feu doux. Hors du feu, ajoutez les jaunes d'œufs en
remuant énergiquement. Versez la préparation sur le fond
de tarte. Réduisez le thermostat à 140 °C et enfournez
25 minutes.
Placez au réfrigérateur pour que la tarte soit bien ferme.
Pour servir, décorez de framboises et découpez de fines
parts. Pour 12 parts.

tarte au chocolat blanc

cônes glacés au chocolat

10 cl de lait
50 cl de crème fraîche
185 g de chocolat de couverture noir en morceaux
5 jaunes d'œufs
110 g de sucre

Faites fondre le chocolat avec la crème et le lait dans une casserole, à feu doux. Ajoutez les jaunes d'œufs et le sucre, fouettez pour obtenir une crème bien épaisse qui colle au dos d'une cuillère. Laissez refroidir.
Prenez 8 moules coniques ou fabriquez-en avec du papier sulfurisé. Versez un peu de préparation dans chaque cône et maintenez-les dans des verres hauts. Laissez 2 à 3 heures au congélateur.
Pour servir, démoulez ou ôtez le papier puis disposez les cônes sur les assiettes. Pour 8 pièces.

gâteau café-chocolat

300 g de chocolat noir en morceaux
250 g de beurre
5 œufs
4 cuillères à soupe de sucre
125 g de farine
1 cuillère à café de levure chimique
125 g d'amandes en poudre
sirop de café
20 cl de café fort
65 g de sucre

Préchauffez le four à 160 °C. Faites fondre le beurre et le chocolat à feu doux. Réservez.
Fouettez les œufs avec le sucre pour obtenir une crème épaisse et claire. Saupoudrez la farine et la levure et mélangez délicatement. Ajoutez les amandes et le chocolat fondu.
Versez la préparation dans un moule de 23 cm de diamètre préalablement tapissé de papier sulfurisé. Mettez au four 45 minutes.
Pendant ce temps, préparez le sirop. Dans une casserole, laissez fondre le café et le sucre à feu moyen pendant 4 minutes. Versez-en la moitié ou les trois quarts encore chaud sur le gâteau non démoulé. Retournez-le sur le plat de service pour le démouler et arrosez avec le reste du sirop. Servez chaud. Pour 10 parts.
note – rajoutez du sucre si le sirop est trop fort ou amer.

cônes glacés au chocolat

gâteau café-chocolat

sel + poivre

7

essentiel

Le sel et le poivre sont les condiments les plus employés dans le monde entier. La plupart des tables proposent aux convives une salière et un poivrier pour assaisonner à son goût des plats déjà salés et poivrés en cuisine.

Le sel est un minéral essentiellement composé de chlorure de sodium. Il relève la saveur de bien des aliments. Utilisé en quantité, il peut même les conserver. Extrait de la terre ou déposé par l'eau de mer, il se présente sous différentes formes : grains grossiers, cristaux plus fins ou poudre.

Sur la route des épices, le poivre était autrefois l'épice la plus recherchée. Originaire des côtes tropicales de l'ouest de l'Inde, le poivrier (*Piper nigrum*) est aujourd'hui cultivé dans la zone équatoriale du globe. La plante possède des tiges pleines de piquants, chargées de petites fleurs vert-jaune et des grains de poivre – 50 à 60 par tige – semblables à une grappe de raisins pas encore mûrs.

sel gemme

Le sel gemme est extrait du sol. Il subit ensuite un processus d'évaporation pour être cristallisé à différents degrés de finesse. Le sel gemme est généralement de couleur grise et utilisé brut pour conserver des aliments ou encore dans les machines pour fabriquer des glaces, etc. Il se consomme une fois raffiné. Sa saveur dépendra essentiellement des impuretés qui resteront.

gros sel

Ce sel est récolté après évaporation de l'eau de mer dans les marais salants. Il est plus coûteux à la production que d'autres. Sans odeur, il donne en revanche beaucoup de goût. Le meilleur sel marin s'obtient par évaporation naturelle à la chaleur du soleil. À la surface des cristallisoirs, se forme la fleur de sel, d'un blanc très pur et d'un goût nettement supérieur. Recueillie par un saunier, sa rareté en fait un produit d'exception. Écrasez des grains de gros sel entre vos doigts avant de saler vos aliments.

poivres blanc et vert

Ce sont des poivres qui ne sont pas encore mûrs. On les trouve frais, secs ou encore en saumure. Frais, ils ont une saveur âcre et légèrement citronnée et conviennent parfaitement aux préparations culinaires. Le poivre vert possède une consistance plus molle et une saveur plus douce que le poivre noir ou blanc. Celui-ci a moins d'arôme que le noir mais offre toutefois une saveur plus acide. Il est souvent utilisé dans des plats à dominante blanche.

poivre noir

C'est un poivre vert que l'on a d'abord laissé mûrir sur la plante, puis mis à sécher au soleil pour obtenir un grain dur et fripé. Le poivre noir, le plus fort de tous, garde cependant une subtile saveur sucrée. Une fois moulu, il perd sa saveur au fil des mois. Pour une saveur optimale, broyez grossièrement des grains entiers dans un moulin à poivre au fur et à mesure de vos besoins. Plus le poivre est moulu finement, moins il est fort car ses huiles essentielles s'évaporent plus rapidement.

poivre du Sichuan

Ce n'est pas non plus un véritable poivre. Issues d'un genre de frêne épineux originaire de la région du Sichuan en Chine, les baies sont cueillies, séchées, puis décortiquées pour en retirer les petites graines noires très amères qui seront ensuite écrasées. Ces baies ont une saveur épicée, un goût de terre et produisent une succession d'effets sur le palais. Pour augmenter leur saveur, faites-les griller légèrement à la poêle, à sec avant de les moudre.

baies roses

Pas vraiment de la même famille que le poivre, elle est le fruit d'un arbuste sud-américain, introduit sur l'île de La Réunion. Une origine très exotique pour une épice qui fait plus d'effet par ses qualités décoratives que par son goût, très peu relevé.

gros sel

sel gemme

poivre noir

poivre du Sichuan   poivres blanc et vert   baies roses

astuces

trop salé

Il arrive souvent d'acheter des olives qui ont plus le goût de sel que la saveur de l'olive ? Laissez-les alors tremper 1 heure dans l'eau froide pour enlever ce goût.

pâtes poivrées

Ce plat tout simple est composé de pâtes chaudes au beurre, assaisonnées de poivre noir concassé et de sel de mer.

salage

Faites votre propre *gravlax**, en enrobant un filet de saumon de sel gemme, de sucre et d'aneth. Enveloppez-le dans du papier aluminium et laissez-le une nuit (ou deux) au frais. Découpez de très fines tranches de saumon. À servir sur des *bagels* grillés ou du pain de mie, accompagnés de crème fraîche.

pommes rôties au gros sel

Mettez quelques pommes de terre nouvelles dans un plat allant au four. Arrosez d'un filet d'huile d'olive, parsemez de romarin et ajoutez de la fleur de sel. Faites-les rôtir dans un four chaud.

sels parfumés

Vous pouvez moudre du gros sel avec de l'écorce de citron pour saupoudrer du poisson ou du poulet. Essayez aussi du piment finement découpé avec du sel pour assaisonner des pommes de terre ou de la viande ou bien des graines de cumin légèrement grillées, mélangées au sel pour de l'agneau.

ricotta au poivre

Remplissez un moule à cake de ricotta mélangée à du poivre concassé. Mettez au four à 180 °C pendant 45 minutes. Démoulez sur une plaque de cuisson, arrosez d'huile d'olive, ajoutez encore un peu de poivre et remettez à dorer au four. Servez sur du pain ou en salade.

steak au poivre

Une recette ultrasimple et tellement classique. Enrobez votre pavé de poivre fraîchement concassé et saisissez-le à la poêle.

poulet à la vapeur et sauce à la roquette

pavé de thon en croûte de poivre

dorade en croûte de sel

poulet à la vapeur et sauce à la roquette

4 blancs de poulet
huile d'olive
poivre noir concassé
150 g de haricots plats
sauce à la roquette
50 g de roquette hachée
aneth frais
persil plat frais
2 gousses d'ail émincées
1 cuillère à soupe de moutarde de Dijon
2 cuillères à soupe de câpres au sel*, rincées
15 cl d'huile d'olive
2 cuillères à soupe de jus de citron

Pour la sauce, mixez la roquette, l'aneth, le persil, l'ail, la moutarde et les câpres. Ajoutez l'huile, le jus de citron et mélangez. Badigeonnez les blancs de poulet d'un peu d'huile et de poivre concassé. Faites-les cuire à la vapeur entre 3 et 5 minutes.
Pour servir, découpez chaque blanc de poulet en trois tranches. Déposez un peu de haricots plats sur chacune des assiettes et posez le poulet par-dessus.
Recouvrez de sauce et servez. Pour 4 personnes.

pavé de thon en croûte de poivre

2 cuillères à soupe de poivre vert en saumure, égoutté
1 cuillère à soupe d'huile d'arachide
500 g de filet de thon
salade asiatique
100 g de feuilles de salade asiatique (dans les épiceries asiatiques)
1 concombre méditerranéen*, découpé grossièrement
5 feuilles de citron vert cafre, concassées
2 cuillères à soupe de sauce de soja
1 cuillère à soupe de sucre roux
1 cuillère à soupe de jus de citron vert
feuilles de coriandre fraîche

Pilez légèrement le poivre dans un mortier. Badigeonnez le thon avec l'huile et enrobez-le du poivre. Réchauffez une poêle, une grille ou un barbecue à feu moyen fort. Faites revenir le thon 1 à 2 minutes de chaque côté, ou plus si vous l'aimez bien cuit.
Dans un saladier, mélangez tous les ingrédients pour votre salade. Découpez le thon en tranches et présentez-les dans chaque assiette, chaud ou froid, sur un lit de salade.
Pour 4 personnes.
note – découpez votre thon en sashimi*, à la façon japonaise : des tranches très fines avec un couteau bien aiguisé.

dorade en croûte de sel

4 petites dorades, vidées mais non grattées
poivre noir concassé
12 brins de persil plat frais
4 à 5 kg de gros sel gris

Préchauffez le four à 220 °C. Rincez les poissons et essuyez-les. Farcissez-les de poivre et de persil. Répartissez la moitié du sel sur deux plaques de cuisson, posez deux poissons sur chacune d'elles et recouvrez avec le reste du sel. Enrobez bien chaque pièce de sel et arrosez d'un tout petit filet d'eau. Faites cuire 15 minutes au four et laissez-les dans le four 5 minutes après la cuisson.
Retirez la croûte de sel avant de servir et disposez les poissons sur le plat de service. Accompagnez de salade verte et de rondelles de citron.
Pour 4 personnes.

porc à la sichuanaise

2 cuillères à soupe de poivre du Sichuan
1 cuillère à café de gros sel
600 g de filet de porc, dégraissé
1 cuillère à soupe d'huile d'arachide
500 g de rouleaux de pâte de riz*
4 bok choy*, coupés en deux
2 cuillères à soupe de gingembre découpé
kecap manis*, pour servir

Grillez le poivre du Sichuan dans une poêle sans matière grasse, à feu moyen, pour exhaler son parfum.
Pilez ensuite grossièrement dans un mortier en y ajoutant le sel. Enrobez le porc de ce mélange.
Dans une poêle, réchauffez l'huile à feu moyen fort. Saisissez les filets selon l'épaisseur et la cuisson désirée. Réservez dans la poêle 3 minutes.
Pendant ce temps, faites cuire les rouleaux de pâte de riz et les bok choy à la vapeur, avec le gingembre.
Pour servir, disposez d'abord les légumes et les rouleaux de riz, arrosez de kecap manis puis ajoutez le porc que vous aurez découpé en tranches. Pour 4 personnes.

porc à la sichuanaise

galettes de patate douce et steak au poivre

agneau aux olives et au citron

galettes de patate douce et steak au poivre

750 g de patates douces pelées et râpées
2 œufs
2 cuillères à soupe de farine
50 g de parmesan râpé
poivre noir concassé
huile pour friture
400 g filet de bœuf
poivre noir concassé supplémentaire
100 g de roquette
150 g de fromage de chèvre frais

Mélangez les patates douces râpées avec les œufs, la farine, le parmesan et le poivre. Réchauffez l'huile dans une poêle, à feu moyen fort. Déposez quelques cuillerées de purée dans la poêle et aplatissez pour former des galettes. Faites frire 2 minutes de chaque côté. Les galettes doivent être croustillantes et dorées. Enrobez le filet de poivre concassé et saisissez-le à feu moyen fort dans une poêle antiadhésive très chaude. Laissez cuire 3 à 4 minutes de chaque côté. Attendez 3 minutes avant de le découper en tranches minces. Pour servir, disposez 3 galettes sur chaque assiette, recouvrez de roquette et de fromage de chèvre puis ajoutez les tranches de bœuf. Arrosez d'huile d'olive et de jus de citron. Pour 4 personnes.

agneau aux olives et au citron

8 tranches de gigot d'agneau, dégraissées
farine de riz*
1 cuillère à soupe d'huile d'olive
4 gousses d'ail, coupées en deux
20 cl de vin blanc sec
80 cl de bouillon de poule* ou de bœuf*
8 brins de thym frais
1 cuillère à soupe d'écorce de citron
200 g d'olives vertes, dénoyautées
poivre noir concassé

Saupoudrez très légèrement la farine de riz sur les tranches d'agneau. Réchauffez l'huile dans une grande poêle à feu moyen et faites-les cuire 3 minutes de chaque côté. Ajoutez l'ail, le vin, le bouillon, le thym et le citron, couvrez et réduisez le feu. Laissez mijoter 1 heure, en retournant une fois les tranches. Ajoutez ensuite les olives, le poivre noir concassé et prolongez la cuisson de 25 minutes. L'agneau doit être bien tendre et la sauce doit épaissir. Servez la viande avec la sauce, accompagnée de purée de pommes de terre et de haricots verts frais à la vapeur. Pour 4 personnes.

note – les olives ne doivent pas être trop salées. Si c'est le cas, faites-les dessaler quelques heures dans l'eau froide.

tourte de bœuf au poivre

1 pâte sablée* ou 375 g de pâte prête à l'emploi
300 g de pâte feuilletée prête à l'emploi
1 œuf
farce
2 cuillères à soupe d'huile d'olive
1 oignon, finement haché
1 cuillère à soupe de poivre vert en saumure, égoutté
800 g de filet de bœuf découpé en dés
25 cl de bouillon de bœuf*
10 cl de vin rouge
1 cuillère à soupe de Maïzena
2 cuillères à soupe d'eau

Réchauffez l'huile dans une poêle à feu moyen et faites revenir les oignons 3 minutes. Écrasez légèrement le poivre vert et ajoutez-le en même temps que les dés de viande. Laissez cuire 5 minutes puis versez le bouillon et le vin, couvrez et laissez mijoter 45 minutes. Délayez la Maïzena dans l'eau et versez dans la poêle. Remuez pendant 2 minutes. Réservez.
Préchauffez le four à 200 °C. Abaissez la pâte sablée sur une surface farinée. Découpez-la en 4 tourtières individuelles de 8 cm de diamètre. Abaissez ensuite la pâte feuilletée et découpez 4 cercles. Remplissez les pâtes sablées avec la préparation et recouvrez d'une couche de pâte feuilletée. Pressez les bords pour fermer la tourte. Badigeonnez d'œuf battu et enfournez 15 minutes. Servez chaud et bien doré. Pour 4 personnes.

poisson aux câpres croustillantes

4 filets de poisson blanc à chair ferme de 180 g chacun
2 cuillères à soupe d'huile d'olive
sel et poivre noir concassé
1 cuillère à soupe de thym citronné frais
4 cœurs de romaine, coupés en deux
sauce aux câpres croustillantes
2 cuillères à soupe de câpres au sel*, égouttées
2 cuillères à soupe de beurre
2 cuillères à soupe d'huile d'olive
2 cuillères à soupe de jus de citron

Badigeonnez le poisson d'huile d'olive, puis assaisonnez chaque côté de sel, de poivre et de thym. Passez le poisson sur une grille ou au barbecue 2 minutes de chaque côté, ou plus selon la cuisson désirée. Réservez.
Faites revenir les câpres 4 minutes dans une poêle à feu moyen avec le beurre et l'huile d'olive. Dès qu'elles sont croustillantes, retirez-les du feu et ajoutez le jus de citron. Pour servir, disposez les moitiés de laitues et le poisson sur les assiettes et nappez de sauce aux câpres.
Pour 4 personnes.

crevettes au poivre du Sichuan

1 kg de crevettes crues moyennes
11/2 cuillère à soupe de poivre du Sichuan
1 cuillère à soupe de fleur de sel
3 cuillères à soupe de farine de riz*
huile d'arachide pour friture
germes de soja sautés
2 cuillères à soupe d'huile de sésame*
2 piments rouges, épépinés et découpés
200 g de germes de soja
400 g de chou chinois découpé
2 cuillères à soupe de jus de citron vert
2 cuillères à soupe de sauce de soja
feuilles de coriandre fraîche, émincées

Décortiquez et nettoyez les crevettes, gardez la queue intacte. Grillez les grains de poivre 1 à 2 minutes dans une poêle à feu moyen, sans matière grasse que vous pilerez grossièrement dans un mortier avec le sel et la farine de riz. Enrobez les crevettes de cette poudre. Faites chauffer l'huile dans une poêle à feu moyen fort. Faites revenir les crevettes 1 minute de chaque côté. Épongez-les sur du papier absorbant et conservez au chaud.
Dans une autre poêle, versez l'huile de sésame sur feu fort. Faites sauter les piments 1 minute. Ajoutez les germes de soja, les légumes, le jus de citron vert et la sauce de soja et remuez 1 minute. Dressez sur des assiettes, parsemez les crevettes de coriandre et servez. Pour 4 personnes.

poulet poivré et salé

150 g de nouilles de riz déshydratées*
2 cuillères à soupe d'huile de sésame*
4 petits oignons frais, découpés
3 cuillères à soupe de jus de citron
feuilles de coriandre fraîche
4 blancs de poulet
11/2 cuillère à café de cinq-épices en poudre
2 cuillères à café de fleur de sel
1 cuillère à café de poivre noir concassé
1 cuillère à soupe d'huile d'arachide

Faites cuire les nouilles 2 minutes dans une casserole d'eau bouillante. Égouttez. Réchauffez l'huile de sésame dans une poêle à feu moyen fort. Faites revenir les oignons 1 minute. Versez les nouilles, le jus de citron et la coriandre. Coupez chaque blanc de poulet en 4 morceaux. Mélangez le sel, le poivre et les cinq-épices dans un bol et enrobez-en les deux côtés du poulet. Réchauffez l'huile d'arachide dans une poêle, à feu fort. Faites sauter les morceaux de poulet 2 minutes de chaque côté.
Pour servir, dressez les nouilles dans des bols et déposez les tranches de volaille par-dessus. Pour 4 personnes.

tourte de bœuf au poivre

crevettes au poivre du Sichuan

poisson aux câpres croustillantes

poulet poivré et salé

basilic
+ menthe

essentiel

Il n'existe pas d'herbes aromatiques dont l'usage soit aussi répandu que le basilic et la menthe.

Originaire de l'Inde, du Sud-Est asiatique et de la Méditerranée, le basilic est une plante annuelle associée à la cuisine italienne depuis son introduction en Europe au XVIe siècle. Il existe plus de 40 variétés de basilic. Celles employées dans les cuisines indienne et thaïe sont plus corsées que celles des climats plus tempérés.

La menthe, quant à elle originaire de Méditerranée, a essaimé dans toute l'Europe et au Moyen-Orient grâce aux légions romaines (y compris en Angleterre avec sa fameuse sauce à la menthe). Les Asiatiques apprécient également la saveur fraîche et pure de ce condiment. Il existe environ 30 variétés de menthe, dont les plus utilisées sont la menthe en épis, la menthe poivrée, la menthe à feuilles rondes et la menthe à feuilles duveteuses.

menthe

Cette variété possède de petites feuilles rondes et un parfum à la fois frais et sucré. On la trouve dans les jardins, parfois en pots. Elle convient très bien aux plats sucrés et salés. Arrachez les feuilles de la tige avant de les utiliser entières ou coupées.

basilic

Seules ses feuilles luisantes d'un vert vif sont comestibles. Elles ont un arôme puissant, légèrement anisé et sucré. Si vous en cultivez en pot, coupez les boutons de fleur pour garder de belles feuilles. À l'achat, choisissez un bouquet de feuilles saines, sans taches noires ou molles. Ne coupez qu'au fur et à mesure de vos besoins. Le basilic noircit dès qu'il est entaillé ou en contact avec un aliment chaud.

basilic thaï

Également appelé basilic asiatique ou basilic sacré (il est souvent planté autour des temples), ses feuilles sont plus petites et plutôt pourpres lorsqu'elles sont jeunes. Le basilic thaï donne une saveur anisée très prononcée et se marie parfaitement aux plats épicés tels que les currys ou les sautés.

menthe verte

Également nommée menthe en épis, cette variété méditerranéenne est celle que l'on trouve le plus souvent dans le commerce. Ses feuilles étroites et longues ont des bords dentelés et possèdent une saveur fraîche caractéristique. Elle est aussi bien utilisée dans des plats sucrés que salés.

menthe vietnamienne

Également appelée feuille de laksa, menthe piquante ou menthe cambodgienne, cette plante ne fait pas vraiment partie de la famille des menthes. Ses feuilles fines, pointues et légèrement teintées de pourpre ont une saveur poivrée, épicée et un peu acide.

En Malaisie, cette variété est l'ingrédient indispensable de la traditionnelle soupe laksa. On la trouve aussi dans les salades thaïes, les salades et les rouleaux de printemps vietnamiens.

menthe

basilic

menthe à feuilles rondes

basilic thaï

menthe vietnamienne

145

astuces

huile verte

Faites blanchir 20 g de menthe fraîche ou 50 g de basilic frais dans une eau bouillante puis séchez-les bien. Mixez-les avec 25 cl d'huile d'olive. Filtrez dans une mousseline et conservez au frais plus de 3 semaines. Utilisez cette préparation pour cuire poisson ou poulet, ou encore pour vos sauces.

tomates rôties au basilic

Placez des demi-tomates dans un plat, côté chair sous le gril, et assaisonnez-les d'huile d'olive, de poivre et de basilic frais. Laissez griller 35 minutes dans un four à 200 °C.

pesto

Mixez 50 g de basilic frais ou un mélange de basilic, de menthe ou de coriandre, 3 cuillères à soupe de pignons de pin, 3 cuillères à soupe de parmesan râpé et une gousse d'ail. Ajoutez de l'huile d'olive pour obtenir une pâte homogène.

feta au basilic

Déposez de la *feta* dans un bol, recouvrez d'huile d'olive vierge extra, ajoutez beaucoup de basilic frais et quelques grains de poivre noir. Laissez au moins 4 heures au frais avant de servir avec de croustillantes tranches de pain.

chips de parmesan

Mélangez 2 cuillères à soupe de parmesan râpé avec 2 cuillères à café de basilic émincé. Sur une plaque tapissée de papier sulfurisé, formez des petits disques et faites cuire 5 minutes dans un four à 200 °C. Laissez refroidir sur la plaque.

sirop de menthe

Faites un sirop avec 40 cl d'eau et 230 g de sucre. Ajoutez ensuite 20 g de menthe découpée et laissez fondre 3 minutes. Filtrez et servez avec de l'eau gazeuse, du gin et du citron ou même du champagne.

thé à la menthe

Dans une casserole, chauffez 3 minutes dans 60 cl d'eau : 2 cuillères à café de thé vert, 14 feuilles de menthe fraîche, 1 cuillère à soupe de sucre. Filtrez et servez chaud dans des verres à thé.

saumon et salade de fèves à la menthe

tomates sautées au basilic et salade de coucous

betteraves et salade de menthe

saumon et salade de fèves à la menthe

4 filets de saumon de 180 g chacun avec la peau

sel et poivre noir concassé

2 cuillères à soupe d'huile d'olive

salade de fèves à la menthe

650 g de fèves écossées

quelques feuilles de menthe fraîche ciselées

3 cuillères à soupe de jus de citron

2 cuillères à soupe d'huile d'olive vierge extra

1 cuillère à soupe de moutarde en grains

Faites cuire les fèves 5 minutes dans l'eau bouillante ; elles doivent être tendres. Égouttez et refroidissez sous l'eau courante. Pelez les fèves et mélangez-les à la menthe, le jus de citron, l'huile d'olive et la moutarde. Salez et poivrez la peau du saumon. Faites chauffer l'huile dans une poêle à feu fort et saisissez le saumon côté peau. Laissez 4 minutes, la peau doit être dorée et croustillante. Retournez 1 minute.
Servez-le sur un lit de fèves, décoré de quartiers de citron. Pour 4 personnes.

tomates sautées au basilic et salade de coucous

200 g de couscous*

40 cl de bouillon de poule* ou de légumes*

sel et poivre noir concassé

150 g de jeunes pousses d'épinards

50 g de parmesan

vinaigre balsamique, pour servir

tomates sautées au basilic

2 cuillères à soupe d'huile d'olive

3 tomates mûres, en tranches épaisses

10 g de basilic frais, découpé

Versez le couscous dans un saladier, mouillez-le avec du bouillon chaud, salez légèrement, poivrez et remuez. Couvrez de film plastique et laissez la graine absorber le liquide (5 minutes).
Pendant ce temps, faites chauffer l'huile dans une poêle à feu moyen. Enrobez les tranches de tomates de basilic et faites-les sauter 3 minutes de chaque côté.
Au moment de servir, disposez les pousses d'épinards dans les assiettes et versez le couscous.
Assaisonnez de parmesan et de vinaigre balsamique puis ajoutez les tomates. Pour 4 personnes.

betteraves et salade de menthe

6 betteraves crues

5 cl de vinaigre balsamique

poivre noir concassé

2 cuillères à soupe de moutarde en grains

salade de menthe

20 g de menthe fraîche découpée

150 g de feuilles de salade

200 g de *feta* marinée à l'huile d'olive

1 cuillère à soupe d'huile d'olive

Faites cuire les betteraves 25 à 35 minutes dans une casserole d'eau bouillante. Égouttez, pelez et coupez-les en quartiers. Assaisonnez de vinaigre balsamique, de poivre, de moutarde et laissez refroidir.
Dans un saladier, mélangez la menthe, la salade, la *feta* effeuillée et l'huile d'olive.
Disposez les betteraves sur un lit de salade. Servez avec des tranches de pain grillé. Pour 4 personnes.

côtelettes de veau et purée de pois à la menthe

4 côtelettes de veau

sel et poivre noir concassé

2 cuillères à soupe d'huile d'olive

3 cuillères à soupe de feuilles de menthe fraîche

purée de pois à la menthe

3 pommes de terre

60 g de beurre

20 cl de crème fraîche

400 g de petits pois frais

2 cuillères à soupe de menthe fraîche découpée

Faites bouillir les pommes de terre entières 12 à 15 minutes. Égouttez et ôtez la peau. Remettez-les dans la casserole et réduisez-les en purée. Ajoutez le beurre, la crème et le sel. Remuez énergiquement pour obtenir une consistance onctueuse. Réservez au chaud.
Dans une autre casserole, faites bouillir les petits pois 5 minutes. Égouttez. Mixez les pois, la menthe et quelques cuillerées de purée. Ajoutez cette préparation à la purée de pommes de terre et réchauffez à feu doux.
Poivrez les côtelettes. Versez l'huile dans une poêle et faites chauffer à feu moyen fort. Faites griller le veau avec la menthe 4 à 5 minutes de chaque côté.
Prolongez la cuisson selon votre goût, la menthe doit rester bien croustillante.
Disposez les côtelettes avec la menthe sur la purée. Pour 4 personnes.

côtelettes de veau et purée de pois à la menthe

poulet au lait de coco et basilic

75 cl de crème de coco
75 cl de bouillon de poule*
2 cuillères à soupe de gingembre râpé
2 piments rouges, épépinés et hachés
1 cuillère à soupe de nuoc mam*
3 petits bouquets de coriandre fraîche ciselée
3 blancs de poulet en dés
20 g de basilic frais ciselé
100 g de pousses de soja

Dans une grande poêle, faites mijoter la crème de coco, le bouillon, le gingembre, les piments, le nuoc mam et la coriandre pendant 5 minutes à feu moyen. Ajoutez les dés de poulet et laissez cuire 5 minutes. Parsemez de basilic frais. Répartissez les pousses de soja dans de grands bols, versez le poulet et arrosez de bouillon. Pour 4 personnes.

tarte à la ricotta, tomate et basilic

4 tomates coupées en deux
2 cuillères à soupe d'huile d'olive
poivre noir concassé
375 g de pâte feuilletée prête à l'emploi
185 g de ricotta fraîche
80 g de parmesan râpé
2 œufs
15 g de basilic frais ciselé

Préchauffez le four à 180 °C. Disposez les tomates sur une plaque de cuisson, assaisonnez d'huile d'olive et de poivre. Enfournez 50 minutes, pour les confire légèrement.
Sur une surface farinée, abaissez un rectangle de 20x30 cm et de 3 mm d'épaisseur. Placez la pâte sur une plaque de cuisson tapissée de papier sulfurisé. Égouttez la ricotta. Mixez-la avec le parmesan et les œufs, puis ajoutez le basilic. Étalez cette préparation en conservant une bordure de 2 cm, puis disposez les tomates.
Mettez au four 30 minutes. Servez avec de la salade ou des tranches de viande grillée. Pour 4 à 6 personnes.

poulet au lait de coco et basilic   tarte à la ricotta, tomate et basilic

pâtes aux tomates fraîches et à la menthe

450 g de spaghettis
4 tomates mûres coupées en petits dés
20 g de menthe fraîche ciselée
persil frais ciselé
2 cuillères à soupe de câpres au sel*
2 cuillères à soupe de jus de citron
1 cuillère à soupe d'huile d'olive fruitée
sel et poivre noir concassé
50 g de parmesan râpé

Faites cuire les spaghettis al dente. Égouttez. Mélangez les tomates avec la menthe, le persil, les câpres rincées, le jus de citron, l'huile d'olive, le sel et le poivre. Servez les pâtes dans des bols et versez la sauce. Saupoudrez de parmesan et accompagnez de pain croustillant. Pour 4 personnes.
note – la sauce est bien meilleure avec des tomates très mûres.

soupe de crevettes à la citronnelle et à la menthe

600 g de crevettes crues
1,5 l d'eau
3 cuillères à soupe de sauce de soja
3 branches de citronnelle*
2 rondelles de gingembre
1 ou 2 piments rouges, découpés
4 feuilles de citron vert cafre ciselées
100 g de vermicelles de riz*
menthe vietnamienne ciselée

Décortiquez les crevettes et faites revenir les queues, les carapaces et les têtes dans une poêle antiadhésive à feu moyen. Ajoutez l'eau, portez à ébullition et laissez mijoter 2 minutes. Écumez la surface de temps à autre pour que le bouillon reste clair. Filtrez-le et réservez les crevettes. Versez-le dans une casserole 5 minutes à feu doux, en y ajoutant la sauce de soja, la citronnelle coupée en très fines lamelles, le gingembre, le piment et les feuilles de citron. Dans un bol, arrosez les nouilles d'eau bouillante. Laissez gonfler 5 minutes puis égouttez. Plongez les crevettes 2 minutes dans le bouillon ; elles doivent être bien tendres. Répartissez les nouilles dans chaque bol. Ajoutez la menthe vietnamienne et versez le bouillon. Accompagnez de citron vert et d'un peu plus de piment. Pour 4 personnes.

porc au sésame

250 g de vermicelles de riz*
20 g de basilic thaï*
menthe vietnamienne ciselée
10 cl de jus de citron vert
2 cuillères à soupe de nuoc mam*
2 cuillères à soupe de sucre
600 g de filet mignon de porc en tranches
1 cuillère à soupe d'huile d'arachide
2 cuillères à café d'huile de sésame*
graines de sésame

Faites bouillir les vermicelles 2 à 3 minutes. Égouttez et rincez sous un jet d'eau froide. Versez-les dans un plat en ajoutant le basilic et la menthe ; remuez. Mélangez ensuite le citron, le nuoc mam et le sucre puis amalgamez avec les nouilles. Badigeonnez les tranches de viande avec les huiles de sésame et d'arachide mélangées, puis enrobez de graines de sésame. Faites cuire 6 minutes (ou plus) de chaque côté dans une poêle très chaude. Pour servir, disposez les filets sur les vermicelles à la menthe. Pour 4 personnes.

pain trempé à la tomate et au basilic

12 tomates très mûres
2 cuillères à soupe d'huile d'olive
2 gousses d'ail écrasées
75 cl de bouillon de légumes*
250 g de pain cuit au feu de bois
20 g de feuilles de basilic coupées en deux
sel et poivre noir concassé
parmesan râpé, pour servir

Formez une croix sur la base de chaque tomate. Faites-les cuire 5 minutes dans une casserole. Égouttez. Pelez les tomates et découpez-les en quartiers. Faites chauffer l'huile dans une grande casserole à feu moyen et laissez revenir l'ail 1 minute. Ajoutez les tomates et le bouillon de légumes. Laissez mijoter 30 minutes sans couvrir. Ôtez la croûte du pain et découpez la mie en gros cubes. Versez le pain, les feuilles de basilic et une bonne quantité de sel dans la casserole et remuez 3 minutes au-dessus du feu. Servez dans des bols avec un peu de poivre et de parmesan. Pour 4 personnes.

pâtes aux tomates fraîches et à la menthe

porc au sésame

soupe de crevettes à la citronnelle et à la menthe

pain trempé à la tomate et au basilic

papaye et melon au sirop de menthe et de gingembre

pamplemousse grillé

baklava au sirop de menthe

papaye et melon au sirop de menthe et de gingembre

1/2 melon de Cavaillon
1/2 papaye
menthe fraîche ciselée, pour servir
sirop de menthe et de gingembre
20 cl d'eau
120 g de sucre
1 cuillère à soupe de gingembre râpé
quelques feuilles de menthe fraîche ciselées
1 cuillère à café de jus de citron vert

Dans une casserole à feu moyen, faites fondre le sucre, l'eau, le gingembre, la menthe et le jus de citron vert pendant 10 minutes puis laissez refroidir.
Pelez le melon et la papaye et découpez-les en petits quartiers épais. Disposez les morceaux de fruits sur les assiettes et arrosez de sirop. Décorez de menthe fraîche ; à servir en dessert, ou au petit déjeuner, avec un yaourt. Pour 4 personnes.

pamplemousse grillé

2 pamplemousses roses
110 g de sucre
quelques feuilles de menthe fraîche ciselées

Coupez les pamplemousses en deux. Mixez le sucre et la menthe. Étalez ce mélange sur les demi-pamplemousses et passez-les à la poêle très chaude 4 minutes pour que le sucre caramélise. Servez au petit déjeuner, au brunch ou en dessert. Pour 4 personnes.

baklava au sirop de menthe

36 feuilles de pâte filo de 20x30 cm
85 g de beurre fondu
2 cuillères à soupe d'huile végétale
farce
400 g de noix
400 g de pistaches non salées
1 cuillère à café de cannelle moulue
70 g de sucre roux
45 g de beurre
sirop de menthe
20 cl d'eau
375 g de sucre
quelques feuilles de menthe fraîche ciselées
1 cuillère à café d'eau de rose*

Préchauffez le four à 160 °C. Mixez finement les noix, les pistaches, la cannelle, le sucre et le beurre. Tapissez une feuille de pâte filo dans un moule à gâteau de 20x30 cm et badigeonnez-la avec le mélange d'huile et de beurre fondu. Renouvelez l'opération en superposant 11 autres feuilles ; veillez à bien les imbiber. Versez la moitié de la farce et recommencez la superposition de 12 feuilles graissées. Répartissez uniformément le reste de la farce puis recouvrez avec les feuilles restantes, en graissant toujours chacune d'elles. Avec un couteau, découpez la baklava en petits losanges et enfournez 1 heure. Pendant ce temps, faites fondre le sucre, la menthe et l'eau additionnée de quelques gouttes de citron dans une petite casserole à feu doux et laissez réduire 6 minutes. Filtrez le sirop pour en retirer la menthe et ajoutez de l'eau de rose.
Une fois la cuisson de la baklava terminée, laissez refroidir 15 minutes puis arrosez-la de sirop chaud. Servez froid. Pour 12 personnes.

crème de yaourt à la menthe

60 g de sucre
quelques feuilles de menthe fraîche ciselées
15 cl d'eau
25 cl de yaourt bien froid
25 cl de crème fraîche bien froide

Faites fondre le sucre, la menthe et l'eau dans une casserole à feu doux. Laissez cuire 4 minutes puis réservez 5 minutes. Filtrez le sirop puis laissez-le refroidir. À l'aide d'un batteur électrique, fouettez le yaourt, la crème et le sirop à la menthe pour obtenir une mousse onctueuse et légère.
Servez avec des fruits frais, au petit déjeuner ou en dessert. Décorez de quelques feuilles de menthe. Pour 4 personnes.

crème de yaourt à la menthe

cannelle
+épices

essentiel

Les épices ont joué un rôle important dans l'évolution des goûts culinaires tout comme dans le commerce. Les différentes routes des épices, entre l'Orient et l'Occident, correspondent à la découverte puis à l'engouement de l'Europe pour des saveurs nouvelles. Les épices avaient alors deux fonctions : rehausser la saveur de plats insipides et masquer le goût et l'odeur d'aliments manquant de fraîcheur.

Dès le début de ce commerce, la cannelle fut l'épice la plus convoitée. Cette écorce très aromatique est issue d'une sorte de laurier (le cannelier) que l'on trouve en Asie tropicale et plus particulièrement au Sri Lanka. D'abord monopole des Arabes, la cannelle devient celui des Portugais et des Flamands. Aux XVIe et XVIIe siècles, invasions territoriales et trahisons accompagnent la recherche de cette épice aussi précieuse que l'or. Celle qui parfume les plats sucrés ou salés reste aujourd'hui l'une des épices les plus utilisées dans le monde entier.

graines de coriandre et de cumin

De la même famille que le persil, la coriandre est une herbe aromatique à feuilles vertes, très appréciée en Asie du Sud-Est. Ses graines sont séchées et employées en particulier dans les currys. Il est préférable de les griller avant de les moudre. Le cumin, cultivé autour du Bassin méditerranéen, appartient à la même famille botanique que la coriandre. Les graines beige doré sont souvent vendues en poudre, mais pour plus de saveur, achetez-les entières, grillez-les et ne les moulez qu'au fur et à mesure de vos besoins. Le cumin a un arôme très particulier, plutôt fort et une saveur persistante de terre, aigre-douce.

anis étoilé

Indispensable dans la cuisine chinoise et vietnamienne, cette épice très esthétique est le fruit séché d'une variété de magnolia d'Asie du Sud-Est. Cette étoile à huit branches donne des graines qui renferment tout l'arôme. Leur parfum est subtil et délicat et leur saveur douce mais prononcée, est proche de la réglisse. Habituellement vendu entier, on trouve l'anis parfois concassé.

bâtons de cannelle

En séchant, l'écorce s'enroule naturellement pour former de fins rouleaux à l'arôme sucré et à la saveur chaude et intense. La cannelle en poudre perd rapidement son goût. En revanche, les bâtons de cannelle conservent leur arôme plus longtemps et sont faciles à moudre. En général, ils doivent être retirés d'un plat une fois sa préparation achevée.

baies de genièvre

Le genévrier, vert tout au long de l'année, produit de petites baies violet foncé au goût de résine. Cet arbre est un cyprès originaire des îles Britanniques, très répandu en Europe du Nord. Les baies de genièvre agrémentent les marinades, les pâtés, le porc, le gibier ou les volailles. Mais peut-être sont-elles surtout connues dans la fabrication du gin ? Pour révéler leur arôme, écrasez quelques baies dans un mortier avant de les utiliser ou passez-les au moulin à poivre.

cinq-épices chinoises

Son usage est des plus multiples. Il est sensé représenter les cinq saveurs du palais : salé, sucré, aigre, piquant et amer. Il s'agit d'un savant mélange de poivre du Sichuan, de cannelle (la casse), de clou de girofle, de fenouil et d'anis étoilé. Le dosage varie selon les régions et les producteurs.

cinq-épices chinoises

bâtons de cannelle

anis étoilé

graines de coriandre et de cumin

baies de genièvre

astuces

bouillon chinois

Donnez une note exotique à votre bouillon de poule en ajoutant une étoile d'anis et un petit bâton de cannelle. Pour relever davantage, ajoutez un demi-piment, des lamelles de gingembre et une rasade d'alcool de riz.

vin chaud épicé

Faites chauffer du vin rouge avec de l'écorce d'orange, de la cannelle en bâton et quelques clous de girofle. Servez dans des mugs et buvez chaud.

sucre à la cannelle

Écrasez un bâton de cannelle et mélangez-le à du sucre. Saupoudrez sur des toasts, des crêpes ou parfumez glaces et crème anglaise.

saveur intense

Les épices ont plus de saveur lorsque l'on moud la graine entière juste avant de s'en servir. Utilisez un mortier et un pilon* ou un moulin à épices.

sachet d'épices

Enfermez dans une mousseline des graines d'épices que vous ajouterez à votre plat, puis retirez-la en fin de cuisson. Les bâtons de cannelle peuvent être roulés dans des feuilles de laurier et serrées par un lien.

farces

Quelques baies de genièvre pilées complètent idéalement les farces de gibier, de volaille, de dinde ou de porc.

grog

Versez une bonne dose de rhum dans un verre, ajoutez quelques clous de girofle, un bâton de cannelle et un peu d'eau chaude. Sucrez au miel ou au sucre. Cette boisson remédie à tous les maux, de la mélancolie au refroidissement.

laksa et poulet à la coriandre

friture de calmars épicés

poulet au bouillon de genièvre

laksa et poulet à la coriandre

200 g de vermicelles de riz déshydratés*
2 à 4 cuillères à soupe de pâte laksa*
50 cl de lait de coco
1 l de bouillon de poule*
3 bouquets de coriandre fraîche pilés
4 feuilles de citron vert cafre, hachées
4 petits bok choy*, coupés en quatre
150 g de germes de soja
poulet à la coriandre
3 blancs de poulet
2 cuillères à soupe d'huile d'arachide
feuilles de coriandre fraîche finement hachées

Versez les vermicelles dans un bol et couvrez d'eau bouillante. Laissez gonfler 5 minutes et égouttez. Réchauffez la pâte laksa 1 minute dans une casserole sur feu moyen. Ajoutez le lait de coco, le bouillon de poule, la coriandre pilée et les feuilles de citron. Laissez mijoter 5 minutes. Faites cuire ensuite le bok choy dans le bouillon pendant 4 minutes.
Découpez les blancs en morceaux épais. Réchauffez l'huile dans une poêle à feu moyen. Ajoutez la coriandre ciselée puis le poulet. Faites revenir 10 minutes de chaque côté. Pour servir, versez les germes de soja et les vermicelles dans des bols puis le bouillon et ajoutez les morceaux de poulet. Pour 4 personnes.
note – la pâte laksa contient du piment, goûtez-la avant de l'utiliser. Si elle est trop forte, ajoutez un peu de sucre sinon, relevez-la avec quelques graines de piment écrasées.

poulet au bouillon de genièvre

50 cl de bouillon de poule*
1 cuillère à soupe de baies de genièvre concassées
15 cl de verjus*
3 brins de thym frais
4 blancs de poulet

Dans une grande poêle, faites réchauffer à feu doux et pendant 3 minutes, le bouillon de poule, les baies, le verjus et le thym. Ajoutez les blancs de poulet et laissez cuire 6 à 7 minutes de chaque côté. Retirez le poulet de la poêle et réservez. Amenez le liquide à ébullition 2 minutes en augmentant le feu. La sauce doit épaissir. Pour servir, disposez les blancs de poulet dans des assiettes et arrosez de sauce. Servez avec une purée onctueuse. Pour 4 personnes.

friture de calmars épicés

12 petits calmars, nettoyés et découpés en quatre
2 blancs d'œufs, légèrement battus
huile d'arachide, pour la friture
assaisonnement
3 piments rouges, épépinés et hachés
2 cuillères à soupe de gros sel
2 cuillères à café de poivre noir concassé
3 cuillères à café de cinq-épices
125 g de farine de riz*

Pilez les piments dans un mortier avec le sel, le poivre et les cinq-épices. Mélangez à la farine de riz. Rincez les calmars et épongez-les. Entaillez chaque morceau avec la pointe d'un couteau. Plongez rapidement dans les blancs battus et enrobez avec le mélange d'épices. Réchauffez l'huile à feu moyen fort dans une grande casserole et plongez les calmars 1 minute dans l'huile très chaude. Épongez avec du papier absorbant et servez avec de la sauce au piment, de la salade asiatique et un quartier de citron vert. Pour 4 personnes.

porc rôti aux baies de genièvre et figues

750 g de filet mignon de porc
2 cuillères à soupe d'huile d'olive
2 cuillères à soupe de baies de genièvre, légèrement concassées
1 bouquet d'origan frais
poivre noir concassé
4 grosses figues fraîches, coupées en deux
huile d'olive, en plus

Préchauffez le four à 220 °C. Réchauffez l'huile dans une poêle à feu moyen fort. Faites revenir les baies de genièvre 30 secondes. Ajoutez le filet de porc et faites cuire 5 minutes de chaque côté.
Mettez le bouquet d'origan sur une plaque de cuisson et posez le porc dessus. Arrosez du jus de cuisson contenu dans la poêle et assaisonnez de poivre. Enfournez le porc 5 minutes puis ajoutez les figues arrosées du reste d'huile et laissez rôtir 10 minutes de plus. Servez le porc en petites tranches accompagné des figues et d'une purée de pommes de terre onctueuse. Pour 4 personnes.

porc rôti aux baies de genièvre et figues

agneau en croûte d'épices aux aubergines

poulet pané aux cinq-épices

porc au sirop d'anis étoilé

agneau en croûte d'épices aux aubergines

2 cuillères à soupe de graines de cumin
1 cuillère à soupe de graines de coriandre
2 x 6 côtelettes d'agneau non séparées
3 cuillères à soupe d'huile d'olive
2 aubergines, en tranches épaisses
sel et poivre noir concassé

Préchauffez le four à 200 °C. Faites griller les graines de cumin et de coriandre dans une poêle à feu moyen pendant 2 minutes. Puis passez-les au mortier ou au moulin à épices.
Badigeonnez les côtelettes d'un peu d'huile d'olive et enrobez-les avec la moitié des épices moulues.
Mettez les aubergines dans un plat allant au four, arrosez d'huile d'olive, ajoutez le sel, le poivre, le reste de cumin et de coriandre. Posez les 2 rangs de côtelettes dessus et enfournez 20 minutes ou plus selon la cuisson désirée.
Coupez les côtelettes en deux et servez avec les aubergines. Pour 4 personnes.

poulet pané aux cinq-épices

4 blancs de poulet
farine
2 œufs
huile de friture
croûte aux cinq-épices
3 cuillères à café de cinq-épices
500 g de chapelure maison
2 cuillères à café de cumin moulu
2 cuillères à café de coriandre moulue
1 cuillère à café de sel
poivre noir concassé
1 cuillère à soupe de persil plat finement haché

Découpez les blancs de poulet en deux dans le sens de la longueur, saupoudrez-les légèrement de farine et réservez.
Mélangez les cinq-épices, la chapelure, le cumin, la coriandre, le sel, le poivre et le persil. Passez les tranches de poulet dans les œufs battus, roulez-les dans le mélange d'épices. Réchauffez 1 cm d'huile dans une poêle sur feu moyen fort. Faites cuire le poulet 2 à 3 minutes de chaque côté pour qu'il soit doré et croustillant. Déposez-les sur du papier absorbant. Accompagnez de légumes asiatiques cuits à la vapeur. Pour 4 personnes.

porc au sirop d'anis étoilé

1 cuillère à soupe d'huile de sésame*
1 cuillère à soupe de gingembre haché
25 cl de vin de riz* ou de xérès
5 cl de sauce de soja
5 cl de sauce hoisin*
2 cuillères à soupe de sucre
2 étoiles d'anis
4 filets de porc, dégraissés

Réchauffez l'huile dans une poêle à feu doux. Faites d'abord revenir le gingembre 1 minute, puis ajoutez le vin de riz, la sauce de soja, la sauce hoisin, le sucre et l'anis étoilé. Laissez mijoter un petit moment.
Mettez les filets de porc, couvrez et faites cuire 5 minutes de chaque côté.
Retirez le porc et réservez. Laissez la sauce réduire et épaissir. Découpez les filets de porc en tranches, disposez-les dans un plat creux et arrosez de sauce.
Accompagnez de riz blanc et de légumes verts cuits à la vapeur. Pour 4 personnes.

canard au bouillon d'anis étoilé

1 canard chinois grillé*
2 l de bouillon de poule*
2 étoiles d'anis
1 bâton de cannelle
4 morceaux de gingembre
200 g de brocoli chinois*, coupé en deux
300 g de nouilles udon fraîches*
3 petits oignons frais, émincés

Découpez le canard en morceaux et retirez la majorité des os. Réchauffez 5 minutes dans une casserole sur feu moyen, le bouillon avec l'anis, la cannelle et le gingembre. Ajoutez le brocoli et les nouilles et laissez cuire 4 minutes. Plongez ensuite les morceaux de canard dans le bouillon. Écumez le bouillon puis retirez le bâton de cannelle et l'anis étoilé.
Versez le bouillon et le canard dans des assiettes creuses et parsemez d'oignon frais. Pour 4 personnes.
note – si vous ne trouvez pas de canard chinois grillé dans le commerce, faites rôtir un canard ou un poulet, badigeonné de sauce de soja et farci de quelques bâtons de cannelle et d'anis étoilé.

canard au bouillon d'anis étoilé

canard fumé à la cannelle

4 filets de canard
2 bâtons de cannelle concassés
2 cuillères à soupe de riz blanc
2 cuillères à soupe de sucre
1 étoile d'anis, légèrement concassée
6 bok choy*, coupés en deux
2 cuillères à soupe de sauce de soja
2 cuillères à café d'huile de sésame*

Faites chauffer une poêle sur feu fort. Piquez la peau
du canard à l'aide d'une fourchette. Faites-le griller
4 minutes, côté peau pour qu'elle prenne une belle
couleur dorée. Retournez le canard 1 minute de l'autre
côté. Réservez.
Formez une sorte de bol avec du papier d'aluminium.
Remplissez-le de riz, de cannelle, de sucre et d'anis
étoilé. Mettez-le au fond d'un wok puis posez la grille
du wok au-dessus. Placez le canard sur la grille et
couvrez. Parfumez ainsi le canard sur feu fort pendant
5 minutes au moins. Pour une saveur plus intense,
laissez plus longtemps sur le feu.
Passez les bok choy à la vapeur et répartissez-les
sur les assiettes. Ajoutez les morceaux de canard et
assaisonnez de sauce de soja et d'huile de sésame.
Accompagnez de riz au jasmin à la vapeur.
Pour 4 personnes.

tajine de veau aux coings

2 cuillères à soupe d'huile d'olive
8 tranches épaisses de jarret de veau
farine
1 cuillère à soupe de cumin moulu
1 cuillère à soupe de coriandre moulue
1 bâton de cannelle
1 cuillère à soupe de zeste d'orange
2 oignons rouges, émincés
1 l de bouillon de bœuf*
2 coings pelés, épépinés et en quartiers

Réchauffez l'huile dans une grande et profonde poêle,
à feu fort. Farinez très légèrement le veau. Saisissez-le
3 minutes de chaque côté. Réservez.
Faites revenir 5 minutes le cumin, la coriandre, la cannelle,
le zeste d'orange et l'oignon dans la poêle, en remuant
de temps en temps. Ajoutez le bouillon de bœuf, le veau
et les coings. Couvrez et laissez mijoter 35 minutes.
Retournez le veau et prolongez encore la cuisson de
35 minutes. Le veau et les coings doivent être tendres.
Servez avec du couscous. Pour 4 personnes.
note – vous pouvez remplacer les coings par des
pommes ou des poires bien fermes, mais ne les ajoutez
qu'aux derniers 35 minutes de cuisson.

salade de bœuf épicé à l'houmous

750 g de rumsteck ou filet de bœuf
2 cuillères à café de cumin moulu
1 cuillère à café d'harissa*
2 cuillères à soupe de jus de citron
2 gousses d'ail écrasées
4 tranches épaisses de pain grillé
150 g de salade verte
houmous
90 g de pois chiches cuits
3 cuillères à soupe de jus de citron
3 cuillères à soupe d'huile d'olive
2 cuillères à soupe de *tahina**
1 cuillère à café de cumin moulu
3 à 4 cuillères à soupe d'eau

Laissez mariner la viande 30 minutes au frais dans
un mélange de cumin, d'harissa, de jus de citron et
d'ail. Pendant ce temps, préparez l'*houmous*. Mixez
les pois chiches avec le jus de citron, l'huile d'olive,
la *tahina* et le cumin. Diluez avec de l'eau pour donner
la consistance d'une sauce épaisse mais non pâteuse.
Passez les filets sur une grille ou au barbecue. Découpez
la viande en tranches. Pour servir, disposez le pain grillé
sur chacune des assiettes, recouvrez de salade et ajoutez
les tranches de bœuf. Assaisonnez de sauce et servez
avec des quartiers de citron. Pour 4 personnes.

poisson au lait de coco

1 cuillère à soupe d'huile d'arachide
2 cuillères à café de cumin moulu
2 cuillères à café de coriandre moulue
2 piments verts émincés
1 bâton de cannelle
1 étoile d'anis
6 feuilles de citron vert cafre
85 cl de crème de coco
4 filets de poisson blanc à chair ferme de 180 g
4 cuillères à soupe de jus de citron vert
coriandre fraîche, pour servir

Réchauffez l'huile dans une grande poêle à feu moyen.
Faites revenir 2 minutes le cumin, la coriandre moulue,
les piments, le bâton de cannelle, l'anis étoilé et les feuilles
de cafre. Remuez de temps en temps. Ajoutez la crème
de coco, réduisez le feu, laissez mijoter 5 minutes.
Mettez le poisson dans la poêle et laissez cuire 4 minutes
de chaque côté. Retirez la cannelle, l'anis étoilé et
les feuilles de citron puis versez le jus de citron dans
la sauce. Servez le poisson et la sauce dans des assiettes
creuses et parsemez de feuilles de coriandre.
Accompagnez de riz à la vapeur. Pour 4 personnes

canard fumé à la cannelle

salade de bœuf épicé à l'houmous

tajine de veau aux coings

poisson au lait de coco

crème brûlée à l'anis étoilé

gelée de cannelle aux prunes rôties

gâteau pomme-cannelle

crème brûlée à l'anis étoilé

25 cl de lait
25 cl de crème fraîche
3 étoiles d'anis
1 bâton de cannelle
70 g de sucre
3 œufs
10 cl de miel

Préchauffez le four à 160 °C. Réchauffez le lait avec la crème, la cannelle et l'anis étoilé dans une casserole. Veillez à ce que le liquide ne bout pas. Réduisez le feu et faites frémir 3 minutes ; laissez infuser 10 minutes hors du feu.
Ôtez les épices. Fouettez les œufs et le sucre. Incorporez-les délicatement au lait et répartissez le tout dans 6 ramequins. Faites-les cuire au bain-marie pendant 25 minutes. Sortez-les du four, laissez refroidir et placez au réfrigérateur 2 heures.
Versez 2 cuillères à café de miel sur chaque crème puis caramélisez-les sous le gril du four. Laissez reposer 3 minutes avant de servir. Pour 6 personnes.

gelée de cannelle aux prunes rôties

3 bâtons de cannelle
25 cl de vin doux
25 cl d'eau
80 g de sucre
1 cuillère à soupe de gélatine en poudre
5 cl d'eau en plus
4 prunes coupées en deux, sucrées et passées au gril du four

Dans une casserole sur feu moyen, faites mijoter le vin, l'eau, les bâtons de cannelle et le sucre pendant 5 minutes. Ôtez les bâtons de cannelle.
Dans un bol, mélangez la gélatine avec les 5 cl d'eau et laissez agir 5 minutes. Versez-la dans le sirop et remettez sur le feu. Laissez bouillir 2 minutes. Répartissez dans 4 ramequins graissés avec de l'huile. Réfrigérez 2 à 3 heures. Au moment de servir, démoulez les ramequins et accompagnez-les des prunes grillées. Pour 4 personnes.

gâteau pomme-cannelle

125 g de beurre
150 g de sucre
2 cuillères à café de cannelle en poudre
2 œufs
15 cl de crème sure*
200 g de farine à gâteaux*
garniture
3 cuillères à soupe de farine
3 cuillères à soupe de sucre candi*
3 cuillères à soupe d'amandes en poudre
1 cuillère à café de cannelle en poudre
2 pommes vertes découpées en fines lamelles

Préchauffez le four à 180 °C. Fouettez le beurre, le sucre et la cannelle au batteur électrique. Dès qu'une crème légère se forme, ajoutez les œufs et fouettez fermement. Incorporez la crème fraîche et saupoudrez de farine tamisée. Mélangez délicatement. Répartissez la préparation dans un moule beurré de 23 cm de diamètre. Enrobez les pommes de farine, de sucre, d'amandes et de cannelle mélangés. Disposez-les sur le gâteau, saupoudrez le reste des épices. Enfournez 1 heure. Servez chaud ou froid, accompagné de crème épaisse. Pour 8 personnes.

glace au mascarpone à la cannelle

375 g de sucre
50 cl d'eau
2 cuillères à café de cannelle en poudre
450 g de mascarpone*
10 cl de crème

Dans une casserole à feu doux, faites fondre le sucre et l'eau pendant 3 minutes. Hors du feu, ajoutez la cannelle et laissez refroidir. Mélangez le mascarpone, la crème et le sirop puis versez dans une sorbetière. Si vous n'en possédez pas, formez votre glace dans un récipient métallique, mettez au congélateur et fouettez toutes les heures jusqu'à ce que la crème prenne. Servez des boules accompagnées de fruits et de quelques tuiles ou sablés. Pour 6 personnes.
note – vous pouvez remplacer le mascarpone par du fromage blanc ou de la crème fraîche épaisse.

glace au mascarpone à la cannelle

glossaire

basilic thaï

Cette espèce ressemble à son cousin européen mais possède de plus petites feuilles. Vous en trouverez dans toutes les épiceries asiatiques.

bicarbonate de soude

Élément indispensable pour faire gonfler une pâte et la rendre plus digeste. Également nécessaire au trempage de certains légumes avant de les faire cuire comme des pois chiches par exemple. En vente au rayon sel des grandes surfaces ou en pharmacie.

blanchir

Méthode qui consiste à plonger les aliments dans une eau bouillante non salée pendant quelques secondes puis à les retirer et les passer sous un jet d'eau froide pour stopper le processus de cuisson. Blanchir un aliment assouplit légèrement sa texture, rehausse sa couleur et sa saveur. Les légumes peuvent aussi être blanchis avant d'être congelés pour éviter les moisissures.

bocal stérilisé

Il faut stériliser un bocal avant toute utilisation. Lavez-le à l'eau très chaude, faites-le sécher dans un four préchauffé à 100 °C pendant 30 minutes ; ne l'essuyez surtout pas avec un torchon.

bok choy

Également appelé chou blanc chinois, ce légume, délicatement parfumé, doit être cuit très rapidement, afin de lui conserver sa couleur et sa consistance. Les mini bok choy peuvent être cuits entiers. Il faut en revanche rincer les plus grands et détacher leurs feuilles après avoir supprimé les vieilles feuilles vert foncé.

bouillon

bouillon de bœuf

1,5 kg d'os de bœuf en morceaux
2 oignons coupés en quatre
2 carottes coupées en quatre
2 branches de céleri coupées en gros morceaux
bouquet d'herbes fraîches aromatiques
2 feuilles de laurier
10 grains de poivre
4 l d'eau

Préchauffez le four à 200 °C. Mettez les os au four 30 minutes sur une plaque de cuisson. Ajoutez les carottes et les oignons et laissez-les pendant 20 minutes. Déposez ensuite ces ingrédients dans une grande casserole. Enlevez le gras du jus restant sur la plaque, grattez les sucs avec 50 cl d'eau bouillante, mélangez et versez le tout dans la casserole. Ajoutez le céleri, les herbes, les feuilles de laurier, le poivre et l'eau. Portez le tout à ébullition. Laissez mijoter 4 à 5 heures. Écumez la surface pendant la cuisson, puis passez le bouillon. Au réfrigérateur, il se conserve au moins 3 jours et au congélateur 3 mois. Pour 2,5 à 3 litres de bouillon.

bouillon de légumes

4 l d'eau
1 panais, haché
2 oignons coupés en quatre
1 gousse d'ail pelée
2 carottes coupées en quatre
300 g de chou découpé en très gros dés
3 branches de céleri en gros morceaux
bouquet garni
2 feuilles de laurier
1 cuillère à soupe de grains de poivre

Mettez tous les ingrédients dans une grande casserole et laissez mijoter 2 heures. Écumez la surface pendant la cuisson puis passez le bouillon. Conservez-le au réfrigérateur au moins 4 jours ou au congélateur 8 mois. Pour 2,5 à 3 litres de bouillon.

bouillon de poule

1,5 kg d'os de poulet ou de poule coupés en morceaux, sinon la carcasse
2 oignons coupés en quatre
2 carottes coupées en quatre
2 branches de céleri coupées en gros morceaux
bouquet garni
2 feuilles de laurier
10 grains de poivre
4 l d'eau

Versez tous les ingrédients dans un grand faitout et laissez mijoter 3 à 4 heures, le bouillon doit être bien parfumé. Écumez la surface régulièrement et passez-le. Vous pouvez le conserver au réfrigérateur au moins 3 jours ou au congélateur 3 mois. Pour 2,5 à 3 litres de bouillon. Pour un liquide plus riche, badigeonnez les os d'un peu d'huile et mettez au four 30 minutes avant de commencer la cuisson.

court-bouillon

1 cuillère à café de beurre
1 oignon finement haché
750 g d'arêtes et de têtes de poissons en morceaux
25 cl de vin blanc
1 l d'eau
10 grains de poivre
3 à 4 brins d'herbes aromatiques douces
1 feuille de laurier

Dans une grande casserole sur feu doux, faites revenir les oignons dansle beurre 10 minutes. Ajoutez les morceaux de poissons, le vin, l'eau, le poivre, les aromates, le laurier et laissez mijoter 20 minutes. Écumez la surface pendant la cuisson et passez le bouillon. Conservez-le au réfrigérateur au moins 2 jours ou au congélateur 2 mois. Pour 3 à 3,5 litres de bouillon.

note – ne faites pas mijoter plus de 20 minutes sinon le bouillon deviendra aigre.

brocoli chinois

Ce légume a des feuilles vert foncé, des tiges épaisses et de petites fleurs blanches. C'est surtout la tige qui est utilisée. Rincez puis pelez et fendez-les avant de les passer à la vapeur, de les faire bouillir, de les braiser ou de les faire sauter.

canard chinois grillé

Canards cuits, épicés et grillés selon la méthode chinoise. Ils sont en vente dans les épiceries asiatiques.

câpres au sel

Ce sont les boutons du câprier, petit arbuste méditerranéen, qui sont récoltés avant l'éclosion et sont conservés en saumure ou dans le sel. Il est préférable d'utiliser ces dernières parce qu'elles sont plus fermes. Rincez-les avant de les employer. Disponible en épicerie fine.

chocolat
fondu

La règle d'or à respecter est de ne pas le faire bouillir. Il existe différentes façons de fondre du chocolat.

Vous pouvez utiliser le micro-ondes par exemple mais la meilleure méthode reste le bain-marie. Mettez le chocolat dans un bol résistant à la chaleur au-dessus d'une casserole contenant une petite quantité d'eau frémissante et laissez fondre sans cesser de remuer. Vous pouvez également vous procurer une casserole à double fond, idéale pour toute cuisson au bain-marie. Vous laisserez fondre le chocolat directement sur le feu s'il a été mélangé à d'autres ingrédients comme la crème ou le beurre ; bien entendu il doit toujours être sur feu doux et remué en permanence.

tempéré

Les chocolats amers et les chocolats noirs ont une forte teneur en liqueur de chocolat et doivent donc être tempérés pour en assurer la tenue et la brillance. C'est une étape nécessaire lorsque le chocolat doit être moulé. Commencez par le fondre comme indiqué ci-dessus. Remuez-le jusqu'à ce qu'il atteigne une température de 45 °C. Utilisez pour cela un thermomètre à sucre. Retirez le bol de la casserole et posez-le dans un plat d'eau froide et fouettez jusqu'à ce que le chocolat se fige sur les parois du bol. Portez-le à nouveau au-dessus du feu et remuez jusqu'à ce qu'il fonde et atteigne une température de 32 °C. Le chocolat est alors tempéré.

citronnelle

Longue herbe parfumée au citron, utilisée dans la cuisine asiatique et principalement dans la cuisine thaïe. Retirez les premières feuilles pour atteindre la racine tendre.

Hachez finement ou utilisez en brin pour parfumer un plat (ôtez les brins avant de servir). Vous pouvez en trouver dans les épiceries asiatiques, chez les bons primeurs et dans bon nombre de supermarchés.

concombre méditerranéen

Cette variété est appelée méditerranéenne parce qu'elle est très consommée dans toute cette région. Il s'agit d'un concombre plutôt court et trapu, sans pépins et à la peau rugueuse. On le trouve très souvent sur les marchés et sur les étals des commerçants maghrébins. Si vous n'en trouvez pas, utilisez le concombre courant et évidez-le.

couscous

Le couscous est fabriqué à partir de semoule de blé moulu dont les grains ont été enrobés de farine avec un peu d'eau salée. La meilleure façon de le consommer est de le plonger dans un bouillon ou de le cuire à la vapeur dans un couscoussier. Il existe 3 sortes de couscous : fin, moyen ou gros. Utilisez de préférence le couscous fin, il n'en sera que meilleur.

crème sure

Produit typiquement anglo-saxon, la *sour cream* est surtout utilisée pour confectionner des préparations salées/ sucrées comme le *cheesecake* (voir page 50). Vous la trouverez dans les épiceries fines, parfois dans les supermarchés. Vous pouvez parfaitement la remplacer par du saint-marcellin blanc très frais que vous émietterez dans votre fromage blanc pour absorber son humidité.

crêpes de riz

Ce sont des feuilles rondes et transparentes faites à base de riz moulu et d'eau. Avant de les utiliser, aspergez-les ou plongez-les très rapidement dans l'eau pour les assouplir. Vous pouvez les trouver, de tailles diverses, dans tous les magasins d'alimentation asiatiques.

eau de rose

C'est de l'extrait de rose, obtenu par distillation des pétales dans de l'eau. Utilisée à travers tout le continent indien, le Moyen-Orient et l'Afrique du Nord, elle parfume les desserts, les confiseries et les boissons. Elle est disponible dans les grandes surfaces, les magasins diététiques et les épiceries orientales.

farine à gâteaux

Cette préparation est composée de farine et de levure chimique et ne sert qu'à confectionner des gâteaux. Elle est en vente dans tous les supermarchés sous différentes marques.

farine de riz

Fabriquée à partir de riz moulu, elle est essentiellement employée dans la cuisine asiatique. Vous pouvez vous en procurer dans toutes les épiceries asiatiques et dans bon nombre de supermarchés.

feta

Ce fromage ferme était traditionnellement fabriqué avec du lait de brebis ou un mélange de lait de chèvre et de brebis. Aujourd'hui, la *feta* est souvent élaborée avec du lait de vache. Elle est conservée dans du petit-lait ou marinée dans de l'huile aromatisée, au poivre et parfois au piment ; cette version possède une saveur très agréable

et l'huile peut être réutilisée dans l'assaisonnement de salades ou de pâtes.

filaments de safran

Le pistil séché de la fleur de crocus, le safran, est une épice très prisée qui se présente sous la forme de quelques filaments rouge orangé. Utilisez-le pour parfumer les plats sucrés ou salés mais veillez à n'acheter que du safran véritable en filaments et non pas en poudre car il s'agit souvent d'imitations à base de curcuma.

génoise

4 œufs
110 g de sucre
60 g de farine
60 g de beurre, fondu et refroidi
1 cuillère à café d'extrait de vanille
Préchauffez le four à 160 °C. Fouettez les œufs et le sucre 10 minutes à l'aide d'un batteur électrique, la préparation doit devenir jaune clair et épaisse. Incorporez la farine tamisée au-dessus. Ajoutez le beurre et la vanille puis mélangez. Versez le tout dans un moule de 23 cm de diamètre graissé et recouvert de papier sulfurisé. Enfournez 35 à 40 minutes. Laissez refroidir dans le moule 20 minutes, puis retournez sur une plaque.

gravlax

Semblable au saumon fumé mais d'une saveur plus fine, cette spécialité nordique est en fait un filet de saumon enrobé d'un mélange de sel gemme, de sucre et d'herbes aromatiques. Vous pouvez en trouver dans certains supermarchés et dans les épiceries fines.

harissa

Sauce très forte à base de piment rouge, d'ail, d'épices et d'huile d'olive, elle est vendue en tube ou en pot dans les grandes surfaces.

huile de sésame

Huile de cuisson indispensable dans la cuisine asiatique, elle n'a pas d'odeur et résiste bien à la chaleur. Elle est riche en acides gras polyinsaturés et possède une saveur de noisette. Disponible dans toutes les épiceries asiatiques.

kecap manis

Cette sauce de soja très épaisse, sucrée et salée est originaire de Java. Elle y est toujours utilisée pour parfumer les plats ou comme condiment. En vente dans les magasins asiatiques.

lemon curd

Crème à base de citron, de beurre, d'œuf et de sucre, elle est très répandue dans les pays anglo-saxons qui l'utilisent essentiellement en pâtisserie. Si vous ne voulez pas la faire vous-même, vous en trouverez dans les supermarchés et les épiceries fines.

lentilles du Puy

La reine des lentilles, petite et d'un vert foncé caractéristique. Ce petit légume sec pousse en Auvergne et possède une consistance idéale et une saveur de terre et de noisette.

linguine

Pâtes longues et fines aux extrémités carrées. Les *linguine* ressemblent à des spaghettis plats. Vous pouvez les remplacer par des *fettucine*.

mascarpone

Fromage frais italien à la crème, dont la consistance est semblable à celle de la crème fraîche épaisse. En vente dans toutes les grandes surfaces.

mortier et pilon

Cet ustensile de cuisine est composé de deux parties : un bol rond et profond et un manche utilisé pour écraser, piler des ingrédients secs ou humides, tels que les épices, les herbes et l'ail.

moule à tarte à fond amovible

Moule en métal à bords cannelés permettant de doubler la surface exposée à la chaleur du four, et de cuire ainsi plus rapidement la pâte. Le fond est amovible pour faciliter le démoulage des tartes ou des tourtes.

moule séparable

Utilisé pour démouler les gâteaux fragiles ou à la garniture délicate, comme le *cheesecake*. Ils peuvent alors être récupérés sans retourner le moule. Il suffit simplement de défaire les clips sur les côtés et de soulever sa base.

moules

moules darioles

Ce sont de petits cylindres en métal ou en plastique avec des bords légèrement en biais. Ils sont souvent utilisés pour les puddings, les gelées, les mousses et crèmes caramel.

moulin à épices

Utilisé pour moudre les graines entières de diverses épices du plus fin au plus grossier. Certains sont manuels et d'autres électriques. Si vous utilisez un moulin à café électrique, nettoyez-le après usage.

nouilles

nouilles aux œufs

Fraîches ou déshydratées, ces nouilles existent dans des formes et des épaisseurs différentes. Idéales pour les soupes ou à faire sauter, les variétés déshydratées doivent être rapidement cuites à l'eau bouillante avant d'être ajoutées à un plat. Les nouilles fraîches doivent être rincées à l'eau bouillante. En vente dans les épiceries chinoises ou dans les grandes surfaces.

nouilles de riz fraîches

De largeur et de longueur diverses, elles se trouvent au rayon frais des supermarchés asiatiques. Conservez-les très peu de jours dans le réfrigérateur. Pour les préparer, plongez-les dans une eau bouillante 1 minute, en les séparant délicatement avec une fourchette, puis égouttez. Ces nouilles existent aussi en rouleaux qui peuvent être passés à la vapeur pour accompagner un plat ou bien être farcis et cuits à la vapeur.

nouilles de riz longues

Désigne les nouilles de riz déshydratées dont l'épaisseur est celle des *fettuccine*. Elles sont utilisées dans le traditionnel *Phad Thaï*. On les emploie beaucoup au Viêt-nam. Plongez-les dans de l'eau bouillante pour les réhydrater puis ajoutez-les à vos soupes ou faites-les sauter.

nouilles somen

Ce sont de fines nouilles japonaises blanches élaborées à partir de farine de blé, d'eau et de jaune d'œuf, occasionnellement parfumées au thé vert. Elles sont souvent présentées en fagot dans leur paquet. Disponible dans les magasins d'alimentation japonais et dans certains supermarchés asiatiques.

nouilles udon

Nouilles blanches japonaises à base de blé. Vous les trouverez dans les magasins d'alimentation japonais ou asiatiques, soit fraîches et sous vide au rayon frais, soit déshydratées. D'épaisseur et de longueur variées, elles sont plates ou rondes et sont surtout utilisées dans les soupes japonaises.

nuoc mam

Ce liquide clair et ambré est obtenu à partir de poisson salé et fermenté. Une saveur primordiale dans la cuisine thaïe. Disponible dans les supermarchés et les magasins d'alimentation asiatiques.

pancetta

Spécialité de viande de porc salée et roulée que l'on trouve en Italie. La *pancetta* ressemble au *prosciutto* en moins salé et moins ferme. Se déguste en tranches fines ou cuites dans certains plats. En vente dans les épiceries italiennes.

panier vapeur en bambou

Ce récipient en bambou tressé possède un couvercle et un fond constitué de lattes. Mettez les aliments dans le récipient et placez-le au-dessus d'une casserole d'eau bouillante pour une cuisson à la vapeur. Vous en trouverez en vente à des prix très abordables dans les épiceries asiatiques et les boutiques d'ustensiles de cuisine.

papaye verte

Habituellement orangé, ce fruit légèrement doux et sucré se consomme vert. Il est très souvent râpé dans les salades thaïes pour adoucir la vinaigrette aux piments. On peut s'en procurer dans les épiceries asiatiques.

pâte laksa

C'est la base d'une soupe asiatique au lait de coco. Elle peut être enrichie d'épices en poudre, d'herbes, de gingembre, de sauce de crevette et de citronnelle. La soupe est faite de lait de coco épicé, de nouilles, de légumes comme les germes de soja, de la menthe et de la coriandre, des fruits de mer ou encore du poulet. Vous pouvez en trouver dans les supermarchés asiatiques.

pâte à tarte
pâte sablée
250 g de farine
155 g de beurre
eau glacée
Mélangez le beurre et la farine à l'aide d'un robot pour obtenir une pâte avec de petits grumeaux. Ajoutez suffisamment d'eau glacée pour la rendre moelleuse. Sortez du robot et pétrissez à la main. Enveloppez-la dans un film plastique et laissez reposer 30 minutes au réfrigérateur avant de l'étaler, cela afin qu'elle ne s'effrite pas à la cuisson.

pâte sablée sucrée
250 g de farine
3 cuillères à soupe de sucre en poudre
155 g de beurre en morceaux
eau glacée
Mélangez le beurre, le sucre et la farine à l'aide d'un robot pour obtenir une pâte avec de petits grumeaux. Ajoutez suffisamment d'eau glacée pour la rendre moelleuse. Hors du robot, pétrissez-la manuellement. Mettez-la 30 minutes au réfrigérateur, enveloppée dans un film plastique avant de l'étaler.

pâtes fraîches
375 g de farine
4 gros œufs
2 cuillères à café de sel
Faites un tas de farine sur un plan de travail. Formez un puits au centre, cassez les œufs dedans et ajoutez un peu de sel. Amalgamez délicatement les œufs à la farine pour obtenir une pâte grossière, vous pouvez aussi utiliser un batteur électrique. Posez la pâte sur une surface farinée (ajoutez un peu de farine à la pâte si cela la rend plus facile à manipuler) et pétrissez-la pour qu'elle devienne homogène. Divisez la pâte en quatre morceaux et faites passer chacun d'eux dans une machine à fabriquer des pâtes ; si vous n'en possédez pas, abaissez-les avec un rouleau à pâtisserie selon l'épaisseur souhaitée et découpez des formes. Laissez-les sécher avant toute cuisson. Couvrez d'un linge humide si vous comptez les utiliser plus tard. Faites cuire les pâtes *al dente* dans une eau bouillante. Veillez à ce que l'eau continue de bouillir pendant la cuisson. Si vous voulez les conserver crues plus longtemps, suspendez-les dans un endroit sec et à l'abri de la lumière ; les pâtes durciront. Rangez-les dans un bocal hermétique.

porc chinois grillé

Viande de porc cuite, épicée et grillée selon la tradition chinoise. En vente dans les magasins d'alimentation chinois.

prosciutto

Jambon cru italien, salé et séché à l'air libre de 8 mois à 2 ans. Vendu à la coupe en tranches très fines dans les épiceries italiennes.

ramequins

Petits plats individuels allant au four, utilisés pour les soufflés, crèmes brûlées, etc. En général en porcelaine, ils ont un fond assez rugueux pour être utilisés au bain-marie.

riz arborio

Tirant son nom de la région du Piémont, dans le nord de l'Italie, ce grain de riz court est utilisé pour le risotto, un plat de riz cuit au bouillon. En cuisant, il libère son amidon et donne la fameuse consistance crémeuse qu'on lui connaît. D'autres variétés de riz sont employées pour ce plat parmi lesquelles le riz *vialone* et le *carnaroli*.

rouleau de pâte de riz

Ce sont des nouilles de riz fraîches, épaisses, roulées en forme de saucisse. Dans les magasins asiatiques, ils sont vendus nature ou farcis aux crevettes et aux herbes. Ces rouleaux sont faciles à préparer ; il suffit de les passer à la vapeur. Ils ne se conservent que 5 à 7 jours au réfrigérateur.

sashimi de thon

Thon de très bonne qualité, très tendre, découpé très finement et consommé cru dans la cuisine japonaise (*sushis*). Prenez des filets et préparez-les à la façon japonaise sur un petit coussin de riz par exemple.

sauce hoisin

Sauce chinoise épaisse, au goût sucré, fabriquée à base de soja fermenté, de sucre, de sel et de riz rouge. Employée pour tremper les aliments ou pour les glaçages. Traditionnellement utilisé pour le canard laqué, vous en trouverez dans les épiceries chinoises.

sésame noir

Les graines de sésame noir sont très utilisées dans la cuisine japonaise. Les graines crues ont une saveur de terre et ne doivent pas être grillées car elles deviendraient amères. Elles sont issues de la même famille que le sésame blanc que vous pourrez remplacer si nécessaire.

sucre candi

Les petits et solides cristaux bruns sont obtenus en mélangeant de l a mélasse à du sucre blanc, ce qui leur confère une saveur de caramel et une texture légèrement collante.

sucre de palme

Sève de différentes variétés de palmiers concentrés en un sucre dense et moite. Utilisé principalement dans la cuisine thaïe, il se présente sous forme de pain à râper ou à effriter avant utilisation mais peut également exister sous forme liquide. Le sucre de palme foncé est très intéressant pour sa saveur de caramel prononcée. Vous pouvez le remplacer par du sucre brun.

sucre vanillé

2 gousses de vanille
220 g de sucre
Hachez la gousse de vanille avec le sucre dans un mixeur. Mixez jusqu'à ce que la vanille soit aussi fine que le sucre. Passez éventuellement au tamis pour enlever les derniers petits morceaux. Conservez-le dans un récipient hermétique et utilisez dans les pâtisseries ou pour sucrer une boisson.

tahina

Pâte épaisse, homogène et huileuse faite à partir de graines de sésame grillées et moulues. Disponible en pots dans les supermarchés ou les magasins orientaux.

verjus

Jus aigre obtenu à partir de raisin pas encore mûr et de pommes sauvages. Ce liquide acide signifie littéralement « jus vert ». Il est utilisé pour sa saveur piquante et proche du vinaigre. Vous pouvez le fabriquer à partir de jus de raisin blanc ou l'acheter en bouteille dans les épiceries fines ou les magasins diététiques.

vermicelles de riz

Ces délicates nouilles précuites sont plutôt utilisées dans les soupes comme la *laksa soup*. Faciles à préparer, ces vermicelles doivent être trempés dans de l'eau bouillante puis égouttés avant d'être mélangés à d'autres ingrédients.

vin de riz

Produit à partir de riz gluant, de millet, d'un levain très particulier et d'eau de source locale, ce vin de cuisson nous vient de la ville de Shao Hsing, dans le nord de la Chine. Il est proche d'un xérès sec et sert surtout à braiser les aliments. Disponible dans les supermarchés asiatiques sous le label Shaoxing.

wasabi

Condiment âcre provenant de la racine verte et noueuse de la plante japonaise *Wasabia japonica*. Servi traditionnellement avec le *sushi* et le *sashimi*, il produit les mêmes sensations gustatives, fortes et piquantes que le raifort. Disponible dans les magasins d'alimentation asiatiques.

wok

Il s'agit d'un ustensile, de forme demi-sphérique, indispensable dans la cuisine chinoise. Il sert à cuire, rôtir, braiser, cuire à la vapeur, etc. Il est d'une utilisation très simple et très rapide. Pour réussir la cuisine au wok, les aliments doivent être prêts à l'emploi, c'est-à-dire, nettoyés, coupés…

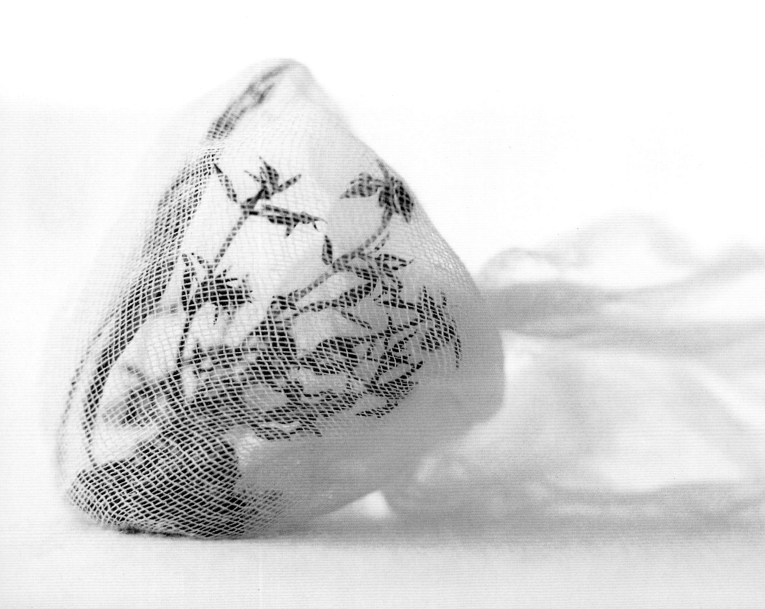

index